Ⓢ新潮新書

黒井克行
KUROI Katsuyuki

男の引き際

074

新潮社

男の引き際●目次

はじめに

　一九八〇年、アイドル歌手・山口百恵が引退した。

　わずか七年半の芸能活動だったが、これほど惜しまれつつやめていった芸能人はほとんど記憶にない。

　当時、山口百恵は人気の絶頂にあった。数々のヒット曲を生み出していただけでなく、映画、テレビドラマ、コマーシャル、写真集……、ほとんどすべての芸能ジャンルで話題を独占していた。単なる若者のアイドルにとどまらず、あらゆる世代の日本人が、その一挙手一投足に注目するスーパースターの域にさしかかっていたといっても過言ではない。しかも、弱冠二十一歳という若さで、である。

誰もが百恵のスーパースターとしての将来に、大きく期待を寄せていた矢先だった。

「ありがとう、幸せになります」

日本武道館でのファイナル・コンサートにのぞんだ彼女は、この言葉の後、最後の曲を歌い終えるとマイクをステージに置き、去っていった。

彼女には華やかなスポットライトへの未練もなければ、スターであることに後ろ髪を引かれることもないように見えた。決して長いとはいえない七年半だったが、ただひたすら走り続けた彼女にとっては、完全燃焼するのに十分な時間だったのかもしれない。

夢のような世界に飛び込み、大成功をおさめ、絶頂期にあった。なのに、人も羨《うらや》むスターの座を易々と手放す――。凡人としてはにわかには信じがたいことだ。人気が下り坂にさしかかり、わが身を嘆いて自ら引く、というのなら納得もできる。しかし、それすらなかなかできることではない。いつまでも過去の栄光にしがみつき、「夢よもう一度」ともがき苦しみ、晩節を汚す醜態を幾度見せられてきたことか。

だからこそ、山口百恵の引き際は潔く、見事に思えてくる。と同時に、「引き際」は難しいということも……。

女性の場合、結婚や出産は、人生の転機を意識せざるをえない、大きなきっかけとなることが多いと思う。

それでは、筆者もふくめ、男性の場合はどうだろうか。

「男の引き際」について語る際に、半ば「伝説」となっている名セリフがある。

「事業の進歩発達に最も害をするものは、青年の過失ではなくて、老人の跋扈《ばっこ》である」

これは明治期に活躍した経済人、住友二代総理事・伊庭貞剛《いばていごう》の言葉だ。伊庭は、叔父で住友の総理代人だった広瀬宰平の勧めで、裁判官を辞め、三十三歳で住友に入社し、大阪本店支配人となる。その後、別子《べっし》銅山の支配人として、別子煙害問題の解決に奔走するが、伊庭には、ただ住友だけが儲かればよいという狭量さはない。住友の事業は常に国家、社会に有益でなければならないと考えていた一流の経済人だったのだ。

一九〇〇（明治三十三）年に総理事に就任し、四年後の一九〇四年、先の言葉を残して退職する。このとき五十八歳。住友グループのホームページによれば、伊庭が総理事になったとき、「最高の位、最高の禄、これを受くれば久しく止まるべきではない」とも語っていたというから、まさに有言実行、自分の信念を貫いたことになる。

功成り名を遂げることは、男として一度は夢見ることだろうが、難しいのはその後だ。誰もが伊庭貞剛のようにできるわけではないからこそ、彼の言葉が強く心に響いてくるのだろう。

老害といわれようがおかまいなしに、地位にしがみつく地方自治体の首長、国会議員の先生たち。過去の栄光に引きずられ、実権を握り続ける企業のトップたち。引き際を誤り、それまでに築き上げた高い評価を台無しにしてしまった人は枚挙に遑《いとま》がない。

老子に「功成り名遂げて身退くは、天の道なり」という言葉がある。要するに、それが難しいからこそ、老子の昔から引き際についての故事、ことわざが無数に残されているともいえるのではないか。

山登りの教訓として、「登る勇気よりも下る勇気」という言葉がある。引き際の大切さを教えてくれる名言ではないか。引き際というと、少し後ろ向きな姿勢と思われるかもしれないが、むしろ逆であることを、この教訓は教えてくれる。

登山では、登りよりも下りの方が難しいと言われるが、それ以上に難しく勇気が必要なのが、頂上を目前にしながら、途中で下山を決断することだという。天候の急変や体調の悪化など、登山では些細な状況変化でも、それを甘く見ると命取りになる。山を登り切ることは、その山が高ければ高いほど、達成感も増すし、それによって得られる名誉も重くなる。だから登山家は、時に無理もしてしまうのだろう。

また、山登りは、よく人生にたとえられる。人によって、頂上の高さも違えば、登り方も違うものだ。「人生、山あり谷あり」と諭されれば、「そんなことは、言われなくてもわかっている」と怒りたくなるかもしれないが、山を登る局面、谷を下る局面、断崖絶壁もあれば、なだらかな高原もあるかもしれない。ただ、生涯に巡ってくるさまざまな局面を前にしたとき、我々は何らかの判断をしなければならない。

一生のうちに同じ局面は二度と来ない。判断も、その都度一回しかできない。その一つが引き際だろう。数え切れない局面の変化を見逃さず、自ら下す勇気ある決断、それが引き際なのである。やり直しは利かない。

ところが、引き際には正解、不正解のはっきりした方程式も、決まりきった公式もない。ただ、否《いや》が応でもまわりからは勝手に評価を下されるし、公的立場にある人たちは世論の攻撃を受けたりもする。結局決めるのは、あくまでも自分であり、それについては、他人が口をはさむ余地はない。だからといって、自分で納得できていないと後悔することになるし、他人を納得させないと白い目で見られかねない。だから、引き際は難しい。迷って当たり前。引き際とは何とも厄介なものである。

さてここで、「じゃあ、おまえは見事な引き際を演じることができるのか」なんて問わないでほしい。正直なところ、私も自信はない。私自身、まだその答えを見つけられないでいる。その手がかりが欲しいから本書を書いたと言っていい。

私なりに「これぞ!」と思った、六タイプ九人の「引き際の物語」を描いてみた。私も含め、誰しもが必ず直面するであろう引き際について、考えるきっかけを提供できれば、ひとまず本書の役割は果たせたと思っている。

第一章　完全燃焼

●江夏豊

日本の野球を変えたトレード

折られた天狗の鼻

「俺はボロボロになっても限界までやるのがプロの務めだと思うね」

江夏豊。不世出の天才左腕ピッチャーである。プロ二年目にして年間四百一奪三振の日本記録を樹立、一九七一年のオールスター戦では前人未到の九連続三振を奪う。

極めつきは、優勝のかかった一九七九年の日本シリーズ第七戦だった。九回裏近鉄には、一点リードされてはいるがノーアウト満塁という、最高のお膳立てができあがっていた。一打逆転サヨナラ日本一だ。一方、マウンド上の江夏（広島）にとっては、最悪のシナリオが進んでいた。あと三人を打ち取れば優勝というところまで漕ぎつけながら、逆に、たった一本のポテンヒットでも一年間やってきたことが水泡に帰してしまう。広島としては同点で切り抜けるだけでも申し分ない状況だったが、腹も括《くく》っていた。一球一球、固唾《かたず》を飲む攻防が続いたのである。

これが今や伝説と化した〝江夏の二十一球〟である。最後のバッターを空振りの三振に切って取った江夏は、マウンドへ駆け寄ってきたキャッチャー水沼四郎と飛び上がって抱き合った。初めてグラウンドで見せた江夏の歓喜のパフォーマンスだった。

彼ほど日本のプロ野球界に鮮烈な足跡を残していった男はいない。しかし、華々しい記録の陰には、怪我との闘い、首脳陣との確執、先発・速球へのこだわりなど、常に葛藤がつきまとい、必ずしも順風満帆の選手生活とはいえなかった。

「ユニフォームを脱ごうか」

自らを責める場面には何度も遭遇しているが、そう迷うより早く、すぐにまたバッターに向かっていた。江夏は露骨に感情を剝《む》き出しにはしなかったが、「腕が折れようが投げきるのがプロの責任」と、完全燃焼を心に決めて十八年間マウンドを務めてきたのだ。

「表のいいところばかりを見せるのが本当のプロなのか？　いや、俺はそうは思わない。無理して見せるものじゃないけども、裏で苦しんでいる姿を隠してしまうことはないよ。ボロボロになった姿でも、堂々と勇気を持って人に見せるのがプロだし、プロにはそうすべき責任があると思うよ。

どんなに高級な外車でも月日が経てば必ずガタがくる。選手だって同じなんだ。それがわかっていながら、誰もその現実に向き合おうとしない。選手はガタがきても車と違って、『じゃあ、廃車にしましょう』では済まされないんだから。なぜここまでやってこられたのか、生きたボールを放ることができたのかを、マウンド上で臆することなく見せるのもプロの生きざまなんじゃないかな。

そこまでして格好悪くないかって？　それは受け取る側の感性の問題だよ」

江夏は生来の強烈な個性ゆえに、まわりからは、自ら投げる速球のようにそのままストレートに理解されることは少なかった。特に、グラウンドから離れたところでは誤解と波乱に満ち、日の当たる場所にいながらも、随分と窮屈な思いを強いられた野球人生だったようである。

最初の試練は一九七五年の秋だった。

一九六七年にドラフト一位の鳴り物入りで阪神に入団して九年間、期待どおりチームのエースとしてだけでなく、球界を代表する左腕にまで上りつめていたところに、南海へのトレード話が持ち上がったのである。

「野球をやめる時は〝タイガースの江夏〟で終わりたかったし、入団当初から、そうなるもんやという淡い希望は持っていたんだ。長いことおれば、それだけチームへの愛着も強くなるし、嫌な奴もおれば、気の合った仲間もおる。タイガースは自分を育ててくれた球団だし、俺にとって、甲子園球場は自分の故郷やと思っているよ。今でも縦縞の背番号『28』は青春のすべてやという気持ちでおるからね」

江夏は、まさかエースの自分がチームから出されるとは思ってもいなかった。

「俺を出したら阪神はどうなると思ってるんや？　出せるわけないやろ。出せるものなら出してみろ」

阪神は、そんな江夏のエースとしてのプライドなどお構いなしにバッサリと切り捨ててしまったのだ。

「ショックだったよね。当時の俺は完全に天狗になっておったからね。その鼻をポキッと折られた感じだったよ。でも、プロスポーツの世界に入ったからには、天狗にならないとつまらないんだ。天狗になれる人材はそういないんだから。僕は天狗になれたということは一つの勲章だと思っている。でも、天狗の鼻は必ず折れるんだから、その時どうするかや。折れてそこからどう這《は》い上がっていくか、それが人生の面白さというものだよ」

江夏は突如襲いかかった大事を前にして、その時の自分を天狗にたとえながら、折られた鼻を取り戻すために、リベンジを誓った。

ここでユニフォームを脱ぐこともできた。そうすれば、阪神の伝説のエースとして、後世に語り継がれる存在になったはずである。十年にも満たないプロ人生の短さ、阪神という球団の冷たい仕打ちゆえに、江夏の引き際は、ファンの脳裏に深く刻み込まれていたかもしれない。悲運のエースとして。

「野球はチーム競技だけど、最終的には自分自身だ。最初に会社があってじゃなく、まず自分があって、それから会社があるわけだ。孤独？　一匹狼とかよく言われたけど、そんなこと思ったこともないよ。俺は野球が大好きなんや。『投げろ』と言われれば、ひとりマウンドに立つ。それを孤独というなら孤独かもしれんけど、勝負の世界に生きるものにとっては、最後に頼れるのは自分だけなんだ」

汚されたプライドを回復するまでは引くに引かれぬ男の意地が、江夏をマウンドに駆り立てていたのではないか。

「南海へのトレードがあったからこそ、後々の江夏が誕生したと思うよ。ただ、トレードの際に抱いた『阪神、コノヤロー！』という気持ちは今でもあるよ。裏切られた時の悔しさは忘れるもんじゃないよ。ただ、誤解してもらっては困るんだが、俺がその時に抱いた『怨《えん》』というのは、決して人を傷つけたり裏切ったりするものじゃなくて、勝負の世界では一つの大きなエネルギーになるんだよ」

南海では阪神時代の栄光の背番号「28」ではなく、「17」をつけての再出発だった。

すでに「28」を背負った選手がいたこともあったが、その後移籍した広島、日本ハムでは「26」、西武では「18」、大リーグ・ブリュワーズのスプリング・キャンプでは

「68」を背負った。もう「28」を背中につけてマウンドに立つ江夏はいなかった。

「背番号は野球選手にとって、名刺代わりみたいなもんや。確かに、南海のユニフォームに変わった時にも、そのまま愛着のある『28』をつけようかと考えたこともあったよ。でも、自分の中では『28』はタイガースの時の思い出で、それで終わりにしたよ。人がいうほど背番号にこだわりはなかったね」

ただその後、江夏は一度だけ「28」を背負うことになるのだが、そこに彼の阪神時代への思いを見ることができる。

「野球に革命を起こさんか」

江夏にとって、南海への移籍は、ピッチャーとしての野球人生を大きく変える転機となる。当時は今と違って、ピッチャーは連戦連投、年間三百イニング（今はせいぜい二百イニングがいいところ）を投げることも珍しくなかった。酷使された肩に、痛み止めの注射を打ちながら、マウンドに上るのが当たり前だった時代である。江夏の肩もかなりの疲労が溜まっていた。その上、生まれつきの心臓病が悪化し、ニトログリセリンを手放せないほどの体になっていた。酷使され続けてきた江夏の肉体は、三十歳を前にして、剛速球だけで九回を投げきるのはもう難しくなっていた。ただ、江夏の武器はスピードだけではなかった。すでに彼独自の投球術を身につけており、力対力の真っ向勝負以外でも抑えることができた。

「当時、エースといわれる人間は、勝ち星がなんぼでイニング数はいくらでと、ある程度の責任があった。それをこなすためにはどうすればいいか。どれぐらいの練習で体を痛めつけ、どんな調整をして、どういうピッチングをすれば、エースとしての責任を達成できるのか。それを自分で考え、工夫しなければならなかったんだ。ただ若さに任せてガムシャラにやっていたら、切り替えができないし、転換期がきても、素直に受け入れることはできないんだよ」

江夏はエースとして剛速球を投げ続けながら、一方で、一日でも長く、一球でも多く投げられるようにマウンドに立っていたのだ。

それを見抜いたのが、南海の監督で現役プレーヤーでもあった野村克也である。野村はテレビ中継で、阪神の江夏が一死満塁二ストライク三ボールの、四球でも一点が入る場面で、わざとボール球を投げて、打者を空振りの三振に打ち取ったのを見逃さなかった。野村は江夏の唸《うな》るような剛速球にではなく、非凡な投球術に惚れ込み、その技を高く評価していたのだ。

体に鞭《むち》打ってまで、敢えて速球で勝負しなくとも、配球、コントロール、打者との駆け引きだけで十分に打ち取ることができるもう一人の江夏の姿を、野村の先見の明は的確にとらえていた。

南海一年目の江夏は好投した。しかし、初めて対戦するパ・リーグの打者への戸惑いや、味方打線の援護に恵まれなかったこともあり、期待どおりの数字は残せなかった。その一方で、肘の痛みや左腕の血行障害は進み、九回を投げきるスタミナへの不安も隠せなくなっていた。トレードで獲得した当初から、野村は江夏にリリーフ専門のピッチャーになることをのぞんでいた。体の調子を考えれば、江夏の持てる力を十分に発揮できる適所だと思ったからである。だが、そのことをストレートに話したところで受け入れる江夏ではないことぐらい、野村にはわかっていた。実際、エースとしてのプライドと先発にこだわる江夏は、野村のアドバイスにまったく耳を貸さなかった。

しかし、二年目に入って、ますます体も成績も思うようにいかなくなった江夏に、野村が発したひと言が状況を変えようとしていた。

「野球に革命を起こさんか」

江夏の気持ちは少しずつ揺らいでいく。すでに、海の向こうでは先発完投にこだわらない、先発と抑え投手の分業制が定着していた。一点を争う接戦をものにするのに、抑え投手の役割が大きくクローズアップされ、大リーグでは優勝を狙うチームには、必ず勝ち試合を締めくくる抑え投手＝クローザーがいたのだ。野村は短いイニングならまだ十分に通用する速球と、クレバーな投球術を身につけている江夏に、日本初のクローザーに転向することをのぞんだのである。

「若い時のようにはいかない。自分が一試合で放れる球数は限られているのはわかっていたけど……。もちろん、リリーフ専門なんて自分からのぞんでまでしたくはなかったよ。今でこそ、抑えだけでなく中継ぎでも一億円を稼げる時代になったが、当時はリリーフ投手なんてのは人の褌《ふんどし》で相撲を取るような、落ちこぼれの役割としか思われていなかったからね。メジャーでは、すでにリリーフ投手の重要性が認められ、地位も確立されていたけど、日本じゃあ、まだ誰も理解しようとしてくれなかったんだから」

江夏は先発完投へのこだわりを、どうしても頭の中から消すことができずにいた。しかし、自分がピッチャーとして現役を続けていくことを優先したのである。

「大好きな野球を続けていくにはこれしかない——。嫌がる自分に何度も言い聞かせましたよ。いつまでも過去の栄光にしがみつき、酔いしれたところで前には進めない。悲しいかな、スポーツ選手最大の悲劇は肉体の衰えなんだ。どんな大投手だって切り替えなければいけない時期が必ず来るんだ。若い時の自分ばかり追いかけていると、素直に転換期を受け入れられなくなるよ。スポーツ選手は相手との戦い以前に、自分との戦いがあることを忘れたらだめだよ。大事なのは冷静に自分を見つめることができるかだよ。ガムシャラに突っ走って、体にガタがきてから、あれこれ考えていたんでは遅いんだ。でも、どういう立場でマウンドに上がろうとも、速い球を投げ続けたいという信念は捨てたわけじゃない。自分の気持ちの底に、その思いをしまっておくことにしたんだ」

江夏は吹っ切れた。いや割り切ったといったほうが正確か。こうして日本プロ野球の先陣を切って江夏の抑え投手としての挑戦が始まったのだ。

今でこそ各球団には、守護神と崇《あが》められ、チームを最終的に勝利へ導く投手がいるが、当時は江夏の言うとおり、リリーフ投手は認められていないばかりか、肩身の狭い思いをさせられていた。先発投手は登板の翌日は休養をとることができるが、リリーフ投手は毎試合肩を作って登板の準備をしなければならない。自ずと他の野手や投手とは生活や調整のパターンが違ってくる。

試合が始まってもまだベンチには姿を現わさず、ゲームも半ばにさしかかった頃から動き出し、勝負の行方が怪しくなったあたりから、ブルペンで本格的にピッチングを開始するのだ。このような、過去にはまったくなかった投手の行動パターンは、チームメイトにもファンにも単なる怠け者くらいにしか思われていなかったという。

「今では笑い話だけど、温厚で俺も大好きなベテランの方が、三回に入ってからベンチに顔を出した俺を見つけて、『お前、何しとんねん！　もう試合はとっくに始まってるんやぞ、はよベンチに座って応援せんかい！』って注意してきたんだ。言い分はよくわかるけども、それは過去の風習であって、自分がやり始めていたのは新しいピッチャーのスタイルなわけよ。もちろん、自分の立場を説明はしたが、はじめはほとんど理解してもらえなかったね。他の野手たちも口にはよう出して言わんかったけど、陰では不平不満だらけだったと思うよ。野村さんは何も言ってくれない。俺は成功したから、今でこそ何でも言えるけども、あの時の苦労といったら、心身共に並大抵ではなかったね」

江夏は南海二年目に十九セーブを上げた。一九七九年の日本一になった広島時代には、九勝五敗二十二セーブの成績で、リリーフ投手として初めて最優秀選手に輝く。リリーフという日の当たらないところに光を導き、日本プロ野球の戦術を変える、大きな役割を果たしたのである。

「自分でいうのもなんだが、南海二年目の一九七七年に俺がリリーフ専門を『やめた』と言っておったら、日本の野球は何年かは遅れていたろうね。苦しかったけども、野球が好きやったからできたことだと思うよ。自分という人間は、何事も意気に感じるタイプで、それがあって初めて集中力も高まり、力も発揮できるんだと思う。チームのため、家族のため、自分のため、何々のためという気持ちは絶対に必要なんや。そう思うことで頑張れるんだよ。特にスポーツの世界はそれがなくなったら寂しいんじゃないかな。スポーツの世界イコール男の世界かもわからんね。リリーフ専門を成功させることができたのも、自分の大好きな野球のため、生きていくため、家族のため、また日本の野球の将来を考えた野村さんの期待に、多少なりとも応えようとしたためなんだろうね」

大好きな野球を続けていくために、江夏は所属球団に対するこだわりを捨てることができるようになった。南海二年、広島三年、日本ハム三年、そして西武に一年。阪神と合わせると五球団を渡り歩いたことになるが、阪神から南海への最初のトレード以降は「ハイハイ、わかったわかった。請われればどこででも放ったるよ」と強い気持ちになれたという。もちろん、抑え投手としての地位を確立させたことが大きな自信になっていたことはいうまでもない。

ただ、「俺の一番華があった時代」という広島から、日本ハムへのトレードを言い渡された時は引退の二文字が一瞬、頭をよぎったという。

「高校から野球を始めて、プロ十三年目の広島で生まれて初めて優勝の味を知ったんだ。『優勝っていいもんだなあ』と思ったね。しかも、二年連続でさせてもらったものだから、その味を知ってしまった者からすれば、『この次行くチームは優勝できるのか？』という不安にかられたわけだ。はっきりいって日本ハムというチームのことをまったく知らなかったし、強い広島にいた感覚で日本ハムの成績を見させてもらうと、『もう苦労するのは嫌だなあ』となったね。つまり、日本ハムへのトレード話をもらって、目標をなくしてしまった感じだったんだよ」

確かに、発展途上の日本ハムは、広島と比べると、どう見ても優勝を狙えるチームではなかった。

「大人と子供、打線はミサイルと明治時代の大砲ぐらいの違いがあったよ。練習は多摩川の堤防で、横では草野球もやっている。ユニフォームは草野球チームの方が高級なくらいだった。監督の大沢さんは魅力のある人だったけど、プロ野球の監督というよりも、建設工事の現場監督だよね。『えらいとこに来たなあ』と思ったよ」

巨人の長嶋が監督を解任され、ライバルの王が引退した。野球界は世代交代を告げていた。これを潮時に自分も引き際を飾る——。オールスターの九連続奪三振、「江夏の二十一球」で優勝も経験し、花道は十分にできあがっていた。なぜ、江夏はここで引けなかったか？

江夏に惚れ込んだ大沢啓二は広島のオーナー・松田耕平の自宅にまで足を運んだ。渋る松田相手に、明け方まで直談判《じかだんぱん》をしていたのだ。

江夏は義理と人情を重んじる男である。意気に感じ、自己を犠牲にすることも厭《いと》わない江夏にとって、大沢の熱血ぶりは、引退を思い止まるのに十分すぎた。

実際、大沢は江夏を特別扱いで迎え入れた。肘痛治療のための高価な器具や心電計を用意し、南海時代の同僚・柏原純一を主将に据える気の遣いようである。江夏が奮い立たないわけはなかった。案の定、日本ハムは後期優勝を成し遂げ、プレーオフでも前期優勝のロッテを破りパ・リーグを制覇、日本シリーズに駒を進めたのだ。

この頃、渡り歩く球団がことごとく優勝することから、江夏は「優勝請負人」と呼ばれるようになる。同時に、「野球をすることに変わりはない」と考えていた江夏は、どんなに環境が変わろうとも、一切動じることはなくなっていた。

「自分には大きな目標があったんだ。千試合登板だ。日米通じて誰もやったことのない記録なんだよ。千試合出場ならば、バッティングもよくて代打出場もあった金田（正一）さんがやっていたが、それまでの最高は米田（哲也）さんで九百五十試合に満たない。あと三〜四年現役を続けることができれば、達成できない数字ではなかったよ。自信は十分あったね。だが、あんな形で自分から野球が取り上げられるとは思ってもいなかった」

不運な出会い

一九八四年、江夏にとっては五球団目となるトレードが行われた。当時、管理野球を掲げ、破竹の勢いで球界を席捲していた、広岡達朗率いる西武ライオンズだった。ヘッドコーチとして巨人のV9を支えた森祇晶《まさあき》もいた。性格がまったく違う彼らの指揮下でやっていけるのか、不安はあったものの、いつものように「野球をすることに変わりはない」と高をくくっていたところも、多少あった。野球に対する理論においては、この二人に負けず劣らずのものを持っている自信も、江夏にはあったのだ。

ところが、現実は大きく違っていた。それは江夏の誇り、球界を代表する左腕としての誇りをかけた、闘いだった。

「俺は六月に二軍に落とされた。それまでの成績は二十試合に登板して一勝二敗八セーブと順調だったんだが、急性胃粘膜炎で吐血したことで強制的に病院に放り込まれて、気がついたら二軍だよ。納得いく説明を受けることなく、二軍で調整を余儀なくされたんだが、その後シーズン終了まで上に上がることはなかったよ。当時の二軍監督に、『お前も可哀相な男だな。一軍からは一度も打診がなかったよ。よほど監督に嫌われてたんだな』と言われたんだ。『終わった』と思ったね。普通、故障や調整不足で二軍落ちした選手は、必ず上から打診があるわけよ。ところが俺の場合、広岡さんから一度も打診がなかったというんだ。要するに、『あなたはずっと二軍にいなさい。もう上にあげるつもりはありませんよ』というわけだよ」

飼い殺し、である。

「これが、今日本で持て囃されている管理野球か！　気持ちが完全に切れてしまった。野球選手から野球を奪ってしまったら何も残らないよ。俺の野球は終わった。情熱も一気に失せてしまったよ」

あと三～四年は現役をまっとうし、日米初の千試合登板を目指していた江夏にとっては無念である。体がボロボロになるまでマウンドに立つ覚悟でいた男は、心をボロボロにされてしまった。

「俺は、ピッチャーとしてやっていけるかどうかの、一つの判断基準を持っていたんだ。以前のように活きのいいボールは放れないし、前に飛ばされることも十分に理解している。だが、ここで三振を取りたいという場面で、二回のうちに一回も三振がとれなくなったら終わりやと。まだ二回に一回は必ず三振をとる自信は十分にあったのに、管理野球に潰されてしまった。自分の持っていた判断基準にかなわなくなった寂しさを感じることもなく、ユニフォームを脱ぐことになってしまったのは辛かったよ」

江夏はそれまで自分を、運のいい男だと思っていた。人生の節目節目でいい出会いをし、たくさんの人に支えられてきた。数々の窮地を乗り越えてこられたのも、人との出会いがあったからこそだ。ところが皮肉にも、広岡との出会いは幸運ではなく、不運でしかなかったのである。

江夏は、悔いの残る形で、野球人生に幕引きをする羽目に追い込まれてしまった。

「本当に寂しかったし、辛かったね」

一九八四年十一月、江夏の引退発表が行われた。球団が主催する引退試合や引退式の類《たぐい》は一切なかった。しかし、一九八五年一月十九日、数々のいい出会いの中でめぐり合った仲間たちが、引退式の舞台を整えてくれた。場所は甲子園球場でも、西武球場でもない。東京都下、多摩市にある市営の球場だった。

——一本杉球場。

最初、江夏が「故郷」といって憚《はばか》らない甲子園球場で行うことが企画されていたが、阪神電鉄の使用許可が下りなかったため、誰もが初めて耳にするこの球場となったのである。

「名前がいいじゃない、一本杉なんて。俺のような男のために、あれだけの人たちが集まってくれ、あれほど立派な引退試合をしてくれて、もうただただ感謝、感激だよ。あらためて人の温かみを感じたね」

江夏は意気に感じる男である。

一万六千人で埋まった郊外の市営球場で、少年野球チームによる試合が始まった。その二回表一死の場面で、縦縞のユニフォームを着た江夏がマウンドに上がったのである。背中に、かつて青春のすべてをかけ、一度手放してからは二度とつけなかった「28」を背負っていた。キャッチャーはかつて阪神でバッテリーを組んでいた辻恭彦《やすひこ》。そして、かつてのチームメイトやライバルたちが少年選手の代打として打席に立った。その中には、オールスターで九連続三振を奪った当時のパ・リーグの四番・江藤慎一もいた。江夏は七人に二十七球を投げた。

試合の後、江夏は仲間たちの友情と、温かい声援を送ってくれたファンに挨拶《あいさつ》をするために、マイクの前に立った。照れ屋で野球以外は人前で自分を見せたがらない江夏の目からは涙が溢れていた。

「私ほど幸せな野球人生を送った者はいないと思います。江夏豊三十六歳、本当に馬鹿な男かもしれません。十月に（アメリカから）日本に帰ってきた時、たったひと言『ご苦労さま』と、それだけを言って下さい。本当にありがとうございました。江夏豊にとって、これほど素晴らしい引退式はありません」

王や長嶋のような華やかな引退セレモニーでは決してない。仲間による手作りの引退式に、江夏は感動していた。

が、その一方で江夏はもう一つ、考えていることがあった。たしかに引退式のグラウンドには立ったが、ピッチャー江夏としては納得できていなかったのだ。ピッチャーとしてまだ投げられる自分がグラウンドに立っている。体力の限界だって感じていない。彼の野球選手としての引き際は、自分の納得する投球ができなくなった瞬間に、やってくるはずだった。

「完全燃焼はしていません」

引退式の挨拶で「日本に帰ってきた時」と言ったが、江夏は自分の野球人生に納得するためにメジャーへの挑戦を図っていたのだ。

レジー・ジャクソンとの真剣勝負

一本杉球場での引退式の三カ月前だった。

これも江夏のいう運であり、いい出会いだったのかもしれない。

評論家としての再出発を期して、アメリカ・ヒューストンへウインター・ミーティングの取材に行った時のことだった。そこで大リーグ・ブリュワーズのスカウト部長に出会った。実は彼の奥さんは日本人であり、その影響で日本の野球界にも通じていた。江夏の実力・引退までの経緯も全部知っていたのだ。翌日日本に帰るという日の朝、このスカウト部長に誘われて朝食をいっしょに摂った。

「ミスター・エナツ、アナタに素晴らしいプレゼントをしたい。もう一度、野球をやってみませんか？」

まったく予想だにしなかったプレゼントに、江夏はただ驚くばかりで答えに窮してしまった。無念の引退に追い込まれた江夏にこれ以上のプレゼントはなかった。悶々《もんもん》としてきた日々を打ち消す朗報である。

「また投げられるかもしれない」

帰国して十日後、江夏は名球会のイベントに参加するためハワイに飛び立った。スカウト部長もわざわざ江夏のスケジュールに合わせてホノルル入りし、話の続きをすることになったのである。江夏の腹は決まっていた。

「今でこそアメリカに野球をしに行くことは珍しいことじゃないけども、あの頃は日本の野球がまだまだ認められていない時で、向こうで勝負してみようというのは勇気がいったよ。いや勇気じゃないな、決断力だよ」

相当な覚悟でのぞんだ大リーグのスプリング・キャンプだったが、そこには江夏の想像をはるかに超える厳しさがあった。

「最初はまったく相手にもされていなかったね。自分の日本での実績は紹介されていたが、『年間四百一奪三振？　だから何？』って感じだよね。しばらく体を動かしてなかったこともあり、チンタラチンタラした鈍い動きをしていたからチャレンジャーとして認められず、冷たい待遇を受けたよ。でも、そのうち真剣に取り組んでいることが向こうにもわかって、それからは大事にしてくれたけどね」


大リーグのスプリング・キャンプはメジャーへの生き残りをかけた真剣勝負である。キャンプの出来不出来がその年にメジャーで契約してもらえるかどうかを決めるので、まさに命懸けの闘いでもあるのだ。選手はオープン戦を通して篩《ふるい》に掛けられる。限られた枠の中に残るために必死である。江夏も最後の一枠をめぐってメキシカン・リーグで活躍していた若い投手と争った。

「アイツの球は本当に速かったよ。俺も大概の速いピッチャーは見てきたつもりだけど、球が見えないいんだもの。『こいつに負けたらしゃあないな』って」

残念ながら、江夏は最後の最後で大リーグへの道を絶たれてしまった。ちなみに、江夏と争ったメキシカンはその年、大リーグで十五勝、次の年は二十勝をあげている。

「監督と球団代表に呼ばれてカット宣告されたが、好意的だったね。『エナツ、頑張ってくれたけども、君の野球生活はブリュワーズではここまでだ。もう一度マイナーから挑戦してみるか？　それとも指導者として勉強してみるか？　その気持ちがあるなら世話をさせてもらうけど』って」

江夏は断った。精一杯やったことで自分に納得していたのだ。

「メジャーに上がるという目標だけでアメリカに渡ったのならば、そのまま残って再チャレンジしたかもしれないが、その前に不本意な理由でやめざるをえなかった自分があった。完全燃焼するまでは野球はやめられない。それをこのブリュワーズのキャンプのワンチャンスにかけたんだ。日本のプロ野球の経験を元に自分なりに計画をたてて、どうしたら最高の力を発揮できるか考え、これ以上ないというものでのぞんだつもりだった。『打てるものなら打ってみろ！』って投げたボールが打たれたんだよ。でも、十八年間のすべてを出しきった」

自信をもって右バッターの外角低めに投げ込んだストレートだった。ライトフライに打ち取ったつもりが、ボールは右中間のスタンドに落ちた。日本では考えられなかった。大リーグへの道を絶たれる決定的なホームランを打たれた後、江夏が最後に対戦したのは、ヤンキースで大活躍したレジー・ジャクソンだった。通算五百本以上のホームランを放ち、ワールドシリーズでの三打席連続ホームランの快挙からついた愛称が「ミスター・オクトーバー」、超大物大リーガーである。

「レジーはベンチの横で俺を睨《にら》みながら盛んに素振りをしていたよ。真剣勝負を挑んでくれた。力任せじゃなしに最高の技術で左中間よりのセンター前に打ったんだ。俺にとっては引導を渡されたヒットで、あれで完全に自分の夢は吹っ飛んだんだ」

レジーは自分が使ったバットに「Good Luck」とサインをして江夏に渡した。

「『これ持って日本に帰れ。頑張ってまたどこかで会おう』とそんな気持ちを込めて『グッド・ラック』と書いてくれたんだ。選手として最後の、最高にいい思い出になったよ」

江夏は完全燃焼した。

「十八で夢を抱いてプロの世界に入って、最後に三十六であんなに素晴らしい夢を見られて、本当に野球をやってきてよかったと思うよ。三十六のオッサンがやね、あんなアリゾナの地で、十八の時と同じ気持ちで無我夢中でボールを追いかけるんだもの、これは素晴らしい夢だったよ。完全燃焼や」

江夏は最後の最後までファイティング・ポーズをとることをやめなかった。まだ投げようと思えば、江夏は投げられ、それなりの数字も残せたかもしれない。だが、メジャーという、まだ当時は日本人にとってはほとんど未知の、野球人にとって最高の舞台へチャレンジできたことで、江夏は完全燃焼することができたのだろう。すべてを出し尽くした人間に残されているのは燃えかすではない。その者にしかわからぬ充実感、江夏はそれを感じた。マウンドを背にするに十分であった。

現役は退いたが、江夏にはまだ夢がある。高校野球の監督になることだ。自分が経験した高校三年間が、最も純粋にボールにぶつかることができた時代だったからだという。高校時代に一度も踏めなかった甲子園はいまだに憬《あこが》れだとも……。

●寺尾常史

一つの負けが変えた土俵人生

小さな負けん気

江夏と同様に、肉体も精神も限界まで追い込んで闘ってきた男がいる。大相撲元関脇・寺尾常史《つねふみ》（現 錣山《しころやま》親方）である。

「ボロボロになっても、相撲が取れるうちは取り続けるのが力士の務めだ、と信じて土俵に上がり続けてきましたから」

寺尾は、最後の場所となった二〇〇二年秋場所を迎えたとき、通算の黒星はすでに九百三十敗を数え、歴代一位となっていた。決して素晴らしい記録とはいえないかもしれない。ただ見方によっては、「無事これ名馬」の大記録である。土俵を長く務めた者でなければ作れない記録でもあるのだ。

「もちろん、勝ちたいですよ。勝つために稽古し、勝つことだけしか考えていませんよ。相撲内容がどうであろうと勝てばいい、たとえ不戦勝であっても嬉しいものなんです。

黒星の歴代一位という記録については、まあ長いこと取り続けてきましたからね。『僕は、プロの相撲取りとして、宇宙一国技館で負けている人間だ』と、開き直るわけではありませんけども、誇りにはすれど恥じることはありませんよ」

わずかな時間で勝負のつく相撲に待ったはない。常に白黒の結果に追われるのだ。心身共にタフでなければ務まらない。ましてや相撲は日本の国技でもあり、力士は多くのファンに支えられて初めて土俵に上がることが許される。ゆえに、負け続けることは力士の命取りになる。即、廃業、引退の声につながっていくのだ。

しかし、寺尾は「不名誉な記録」を更新することがわかっていても、土俵に上がることが許されていた。常に大きな拍手と歓声に迎えられて。

「そもそも僕は相撲にまったく興味がありませんでした。父（元鶴ケ嶺）も二人の兄（長男・元鶴嶺山《かくれいざん》、次男・元逆鉾《さかほこ》）も相撲を取っていて、僕は相撲しかない家で生まれましたが、中学三年までは自分もこの世界に入るなんて考えてもいませんでしたね。仲のいい先輩から誘われて、高校で相撲部に入ってはみましたが、同期では一番弱かったんです。よく考えてみると、相撲部屋の息子が相撲が弱いというのはちょっと屈辱だなと、すごく悔しくなりましてね、真剣に相撲に取り組み始めたんですよ。それまでの僕は、自分の意志で何かに一生懸命に打ち込んだという経験がなかったんです。生まれて初めて夢中でやったのが相撲だったんです」

寺尾を語る上で忘れてはならないのは、負けず嫌いの性格である。勝負の世界に生きる者は誰もがそうだろうが、彼の場合、抜きん出ていたという。

たとえば、毎朝何十番も取る稽古でさえ自らに負けることを許さなかった。まったく手を抜くことなく向かってくる寺尾の迫力に、相手をする力士たちは格上格下を問わず、いっしょに稽古をするのを嫌ったというのだ。稽古で負けると不機嫌がそのまま顔に出てしまい、怒っているその様に後輩たちは後ずさりすることもあったというから、たしかに半端な負けず嫌いではない。ただ、本人に言わせると、

「僕は小さな負けん気と言っています。でも、それがあったからこそ、長い間相撲を取

ることができたんだと思います」

高校入学時、相撲部内で一番弱かった寺尾は、小さな負けん気でやがて同期では二番目に強くなり、先輩に勝てるまでになっていた。

「大会で優勝したことは一度もありませんが、たった一回ですが試合で勝ったのが凄く嬉しくて、相撲が好きになっていったんです。勉強ができたわけではないし、初めて一生懸命やったことに結果がついてきた。それに感動し、『俺にもできるんだ』と自信になったんですね。元をただせば、相撲部屋の息子が弱くて悔しかったのがきっかけだったのかもしれませんが、力がついてきているのは自分でもわかりました。『このまま頑張ったら三段目ぐらいまで上がれるんじゃないかな』『雪駄ぐらいは履けるだろう』と思って、高校一年で中退して相撲の世界に飛び込んだんです」

寺尾の入門した一九七九年組は、「花の三八」と言われ、同期には、のちの双羽黒、北勝海《ほくとうみ》、琴ケ梅、益荒雄《ますらお》、三杉里など、横綱二人を含め三役以上を務めることになる力士が名を連ねていた。体が小さく胃腸も決して強いほうではなかった寺尾は、「同期で一番最初にやめるのは自分だろう」と思っていたという。

「入門と同時に半年間、教習所に入るんですが、いきなり度肝を抜かれましたよ。ちょうど自分の目の前で北勝海（現・八角《はっかく》親方）が四股《しこ》を踏んでいたんですが、汗の噴き出る量が半端じゃないんです。汗溜まりといって両足のまわりに汗がたまって型ができるんですが、その他にも顔や額から流れ落ちる汗が三つめの汗溜まりを作っているんです。『負けた』と思いましたね。四股は楽に踏もうと思えばいくらでも、バレずに手を抜いて踏むことができるんですが、北勝海は百何十人が同時に踏んでいる中でも集中して、黙々と踏んでいたんですよ。もの凄い刺激になりましたね。負けたくないなあと」

寺尾の小さな負けん気がここでも顔をのぞかせていた。

寺尾には小さな体がいつもハンデとしてつきまとっていた。もちろん、少しでも大きくなるために人一倍食べ続けたが体質のためか、なかなか太れない。本来、食べることは誰にとっても大きな楽しみの一つであるはずだが、寺尾にとっては地獄だった。力士は朝稽古の後に朝昼兼用のチャンコを食べ、昼寝をするが、寺尾は横になれないくらい腹に詰め込んだせいで、壁に寄り掛かって寝ることしかできなかった。

寺尾の座右の銘は「今日一日の努力」である。

「僕は物事を長いスパンで見ることができない人間なんですよ。たとえば一カ月頑張ろうとすれば、普通の人は今日八十やったから明日は二十とか、トータルで考えてやるでしょう。ところが僕の場合、今日百やって明日一日は思いきって休もうと考えるんです。翌日の休みのことを思えば、今日は思いっきり全力でやれるじゃないですか。でも、明日になればなったでまた百頑張ってしまうんですけどね」

それは並大抵な努力ではないが、寺尾は平然と言ってのける。場所中の土俵だけではない。毎日の稽古も寺尾にとっては息もつかせぬ闘いであった。

「自分は体が小さいわけですから、デカイ相手を負かすには稽古しかないんですよ。弱いからやるしかないんです。不安でしようがないから稽古しているだけなんですよ。強くなりたいから……、ただそれだけのためです」

とにかく勝ちたかった

引退するまで、二十三年間土俵を務めた寺尾には、数々の華々しい記録が残されている。通算出場千七百九十五回（歴代二位）、幕内出場千三百七十八回（歴代二位）、関取在位百十場所（歴代一位）等々。その中でも寺尾が一番こだわっていたのが通算連続出場だった。

「初土俵（一九七九年名古屋場所）以来、一日も休まずに土俵を務める」

これは寺尾の最大の目標であった。「休まない」ことは励みであり、また寺尾にとっては誇りでもあった。ところが、一九九七年春場所十三日目、土俵下に転落した際に右足の親指を骨折し、記録は千三百五十九回（歴代五位、当時現役最長）で途切れてしまった。

「僕にはいろいろな記録が残っていますけども、この記録だけにはこだわっていたので途切れた時はショックでしたね。八角親方が病院に見舞いに来てくれたんですが、その時の言葉には驚きました。てっきり励ましに来てくれたのかと黙って聞いていたら、『お前、ケガしてよかったな』と。厭味《いやみ》かと思いましたが、『お前はいずれ指導者になるだろう。ケガをしないできた人間に、ケガをした人間の気持ちがわかるか？　下に落ちて行く奴の気持ちがわかるようになっただけでも、このケガを有り難く思わなければだめだよ』と」

大記録達成を間近に控えていただけに、その無念を「よかったな」のひと言で片づけてしまうのは残酷な気もするが、その言葉にすぐに反応して気持ちを切り替えることができるのが寺尾の寺尾たる所以《ゆえん》なのかもしれない。しかし、連続出場が途切れたその日はさすがに落ち込んでいたという。

「『足折れちゃったみたいだ。明日から休場するわ』と、嫁さんに電話したら、『また頑張ればいいじゃん』と言われたんです。一大事を簡単にサラッと言われて、目を醒まされました。『そりゃあそうだ』と。骨折で酒が飲めないので、若い衆にコーラを買ってこさせ、ガァーッと一気に飲みました。闘病に向けた盃とでもいいましょうか、一つのけじめとしてね。そして、リハビリのことばかり考えるようになりました」

寺尾は入院した翌日からさっそく病室にバーベルを持ち込んだ。足がだめなら上半身だけでも鍛えようと、稽古を始めたのである。

「入院中だろうが、強くなるという夢のためには休んでいる暇はないんです」

鉄人の異名をとる寺尾らしいエピソードである。ところが、当の本人は、

「鉄人？　全然違いますよ。力も気も弱いからここまでやってこられただけなんです。

僕は鉄人どころかむしろ〝弱人〟ですよ。土俵に向かうために花道を歩いている時は顔面蒼白だったんですから。

よく、『大きい相手は怖いでしょう？』と聞かれるんですが、小さい相手でも怖いんです。土俵に上がるまではとにかく嫌でした。特に、控え（土俵に上がる前に座っている場所）で待っている間と土俵入りの後は一番嫌でしたよ。土俵入りが終わって支度部屋に戻ってくると、いったんまわしを外して用を足すんですが、その間、僕だけじゃなく他の力士たちもブツブツ独り言を言ってました。緊張と不安で怖いからです。何かを呟いたりでもしないと落ち着いていられないんです。だいたい自分は初日から『早く千秋楽が来ないかなあ』と思ってましたからね。ベテランほどそれは顕著でしたよ」

勝負の世界で生きる人間にしかわからない葛藤なのか。土俵上で繰り広げられる一番一番が力士にとってはすべてであり、結果がものをいう世界なのだ。

「とにかく勝ちたかった。お金じゃないんです。どんなに強い相手に善戦しても負ければ意味がない。『いい相撲だったね』と言われても全然嬉しくなかったですね。ところが、それだけ勝ちにこだわっているのに、勝った時の喜びって一瞬だけ。いつまでもその余韻が残っているもんじゃないんです。負けた時の相撲のほうが、ずっと残ります」

寺尾の相撲人生を左右した〝負け〟がある。

西の小結として迎えた一九九一年春場所十一日目。対戦相手は、東前頭十三枚目だが十連勝中の十八歳の貴花田（後の貴乃花）だった。寺尾とは相撲一家という同じ境遇で育ったサラブレッドである。この人気力士同士の初顔合わせに日本中が注目した。

「自分は三役です。貴花田関とは体の大きさも、まださほど変わりませんでした。タイプ的にも絶対に自信満々でのぞめる相手で、負けるわけはないと思っていました。それが負けたんですよ。悔しかった……。その負けを、辞めるまで一日たりとも忘れることなく、十一年間も引きずってきたんですよ」

生涯千八百近く取ってきた相撲の中で最も印象に残っている一番だという。

「あの負けがあったからこそ長い間土俵に立つことができたんです。つまり、あの一番以降、自分の目標は『打倒！　貴花田』一本になり、稽古でも頭の中はいつも貴花田を負かすことでいっぱいでした」

十八歳に負けたことが、寺尾にとっては悔しいを通り越し、自分を許せなかった。ところが、そんな寺尾の雪辱の思いをよそに、貴花田の勢いはとどまるところを知らなかった。三役、大関、横綱と一気に出世街道を駆け上がっていったのである。

かたや寺尾は番付が徐々に下降していく。一つでも多く勝って、少なくとも番付を維持していかなければ横綱と対戦することすらできなくなってしまう。

「貴乃花と同じ土俵に立つため」

寺尾は執念を燃やすが、それが空回りするかのように体の方は肋軟骨骨折、左上腕筋断裂、持病の不整脈、ぎっくり腰と満身創痍であった。土俵に立つことができるのが不思議なくらいで、〝技のデパート〟が舞の海なら、〝ケガのデパート〟は寺尾であった。普通の力士ならとうに引退を口にしたのではなかろうか。しかも、寺尾は十両陥落の危機にも直面していたのだ。

二〇〇〇年夏場所、西前頭十三枚目の寺尾は負け越し、次の夏場所は十両に落ちることが決定的となった。

「当代きっての人気力士を十両で取らせるわけにはいかない、引退させたほうがいい」

まわりからそんな声も強く上がっていた。

引退か？　十両か？

千秋楽の取り組みを終えた寺尾の口から何が飛び出すか、大勢の記者が待ち受けていた。

「皆さん、また来場所お会いしましょう！」

寺尾は、その一言を残し、さわやかに引き上げた。期待外れだったのか、予想もしていなかったユニークな言葉に、記者たちは唖然としていた。

「自然と口をついて出てきた言葉ですよ。十両に落ちてからも『横綱（貴乃花）とあたるまで頑張るぞ』の一念で相撲を取り続けていました。幕内にすぐに戻る自信はありましたからね」

実際にひと場所おき、十両で三場所連続勝ち越しを決め、三十八歳で史上最年長の返り入幕を果たした。くしくも三十八歳は偉大なる父・鶴ケ嶺が引退した年齢である。

「父を超えたなんて思ってもいませんよ。ただ、『自分で自分を褒めたい』とは思います。有森裕子さんが言って有名になったフレーズのようですが、僕はもっと早くからよく使っていたんですよ。この言葉の元祖は自分であり、自分の心の中ではいつも囁いていた言葉ですよ」

寺尾はボロボロの肉体を引きずってでも、貴乃花と対戦し、そして勝ちたかったのだ。小さな負けん気であり、相撲を取り続けるための最大のモチベーションだった。

そしてもう一つ、本人はあまり口に出しては言わないが、寺尾を土俵に向かわせる大きな理由があった。それは次の言葉によく表れている。

「相撲は決して一人では取れないんですよ。家族やまわりの応援に支えられながら、まわしを引っ張ってくれる若い衆や付け人らにも夢の手伝いをしてもらってはじめて相撲が取れるんです」

寺尾は自分のまわりに角界から去っていった若い力士たちがいたことを忘れず、ずっと記憶にとどめていた。心筋梗塞で引退に追い込まれた付け人、網膜剝離で志半ばにして廃業した仲間、相撲が好きで好きで心臓病のために医者に止められてもこっそり稽古して若くして死んだ後輩たちが残していった、相撲への情熱をも背負っていたのだ。

「相撲が取れるだけでも贅沢過ぎますよ。たとえケガしたところで一カ月、二カ月我慢したらまた土俵に戻れるじゃないですか。落ちたといっても十両は関取だし、素晴らしい地位じゃないですか。また頑張って幕内に戻ればいいんだから、最後の最後まで粘るだけ粘ってやろう、あがくだけあがいてやろうと思っていました。ボロボロになっても相撲が取れるうちは、取り続けるのが力士の務めだと思います。やめることはいつだってできるんです。でも、僕は絶対に、簡単にはやめられませんでした」

しかし、寺尾にもとうとうその日が来た。

息子からのメッセージ

二〇〇二年秋場所、東十両十一枚目。

「この場所はものすごく体調が良くて、十両優勝するくらいの気持ちでのぞむはずだったんです。ところが、場所前日にぎっくり腰をやってしまったんです」

朝稽古を終えた寺尾は若い力士に抱えられながら、自宅の玄関のドアを開けるとそのまま倒れこんでしまった。顔は真っ青だった。

夏場所を途中休場して以来、名古屋場所を全休し、明日から始まる秋場所にすべてをかけて稽古を積んできたというのに……。

寺尾は部屋でも土俵でも他人には決して弱音もはかなければ、どんなケガでも歯を食いしばって弱味を見せないが、家に一歩足を踏み入れれば豹変する。

「腰、やっちゃったよ。ママ、どうしよう」

ママとは伊津美《いつみ》夫人のことである。寺尾にとって八歳年上の姉さん女房は、妻である以上に、すべてを任せられる母親的役割も担っていたのだ。夜中、痛さに耐えきれず、呻《うめ》き声を上げる寺尾の腰に、ゴムチューブを巻いて骨を落ち着かせたり、土俵に送り出すために叱咤《しった》激励も飛ばした。

「腰の状態が悪いのはよくわかるわ。でも、このまま休場してしまったら、残りの相撲を全部勝たなければならないわ。もう一度出場する気持ちがあるなら、これ以上休んだら駄目よ」

初日、二日目は我慢して土俵に上がったが黒星、三日目は不戦敗、四日目、五日目を休場してしまい、後がなくなっていた。

「ぎっくり腰さえなければ……」

夫人の内助の功に支えられて、寺尾は六日目から腰痛をだましだまし土俵に上がり続けたが、実はこの時、右腕の筋もほとんど切れかけた状態で、常人ならば耐えられない痛みであったという。突っ張りを得意とする寺尾にとって最大のハンデだった。

「腕の筋が切れたら、切れた時でしょ。切れても切れなくても（相撲を）やめることに変わりがないんだったら、思い切って相撲をとって土俵で筋の一本でも切ってくればいいじゃない！」

夫人は弱気の虫が鳴きはじめていた寺尾を、断腸の思いで突き放した。寺尾にとって角界を去っていった仲間や後輩だけでなく、家族の支えは大きかった。

「結局、気力と体力はあったけどもパーツがついてきてくれなかった。車にたとえていえば、ドライバー（精神状態）は一流でエンジン（健康状態）もなかなか悪くないが、タイヤがパンクしてしまった（ぎっくり腰）ということですね」

千秋楽を残して四勝八敗二休となったが、寺尾はまだこの時点では引退を真剣に考えてはいなかった。十四日目の取り組み後も鳥のささ身を食べ、体を作ることに余念がなかったのだ。

ところが、自宅居間のテーブル上に置かれた一枚のメモが、寺尾の心を揺さぶった。

寺尾は土俵上で激しい闘志を見せても、家に帰ればどこにでもいる普通の父親の顔になる。伊津美夫人とのあいだに生まれた、当時七歳になる晴也君の走り書きであった。

晴也君は、十年間に及ぶ永い春の末に入籍した、伊津美夫人と寺尾の宝物だった。几帳面で戸締りにまで細かく口を出すところが父親そっくりで、カラオケでは親子でマイクを奪い合うという。

「引退相撲の時は、晴也と国技館の土俵上でいっしょに相撲を取りたい」

まさに晴也君は寺尾にとって目に入れても痛くない存在なのだ。

その晴也君は場所中、闘い終わって帰宅する父親に寄せて、激励のメッセージを紙の切れっ端に書いて、そっと居間のテーブルの上に置いていた。

「あした頑張ればいいや」

「元気出して下さい」

負けて帰宅しても、その紙の切れっ端は寺尾にとって、明日の一番に向けての何よりのエネルギーとなっていた。

ところが、千秋楽を明日に控えたこの日のメモに書かれていたのは、

「トト（寺尾の愛称）、いつまでも元気でいてね」

相撲とは離れた走り書きだった。

「息子は僕が一生相撲を取っているものだと思っていたんです。晴也は相撲が大好きで国技館にもしょっちゅう観にきていましたからね。いずれやめるなんてことはイメージできなかったと思います。でも、僕の負けがこんできた時に『トト、相撲をやめちゃうの？』と泣いていたらしいんです。いつの間にか、子供なりにわかりはじめていたんですね。相撲で負け続けることがどういうことかを理解し、その時はどうなるかを納得して割り切ったのが、私に宛てたあの子の、このメッセージだと思いました」

晴也君に気を使わせてしまったのではないか、強い父親を見せられなくなったのかもしれない、メッセージから滲《にじ》んでくるニュアンスが寺尾の心を刺したのである。それは他のどんな親しい仲間からの直言よりも重いものであった。

「あがくだけあがいて、最後の最後まで」のつもりで、まだまだ先だと思っていたが、それは今、寺尾の目の前に突きつけられていた。寺尾は引退を決意するしかなかった。

「このまま幕下に落ちてしまうようなことがあれば無給になり、まわしも変わり、付け人もいなくなってしまう。まわりは気を使って付けてくれるかもしれませんが、それに甘えるわけにはいきません。もうそこまでの姿を見たくない人もいるでしょう」

晴也君のメッセージが寺尾に引導を渡す形になった。

最後の土俵の朝が来た。寺尾は家族全員を国技館に呼んだ。実はそれまで寺尾を陰で支えてきた夫人は、テレビ以外で相撲を見たことがなかった。夫の一番は、いつも自宅のテレビの前で正座をして祈るように、時には手を合わせて応援していたという。

「いつもより緊張していましたね。でも、場所入りする前にリラックスしようと、ニコニコしながら子供といっしょに写真を撮ったりしていました。出掛けに、嫁さんから、『勝ってね』と言われたんですが、最後ぐらい楽しませてくれよと思いましたよ」

土俵人生最後の相手は小城錦だった。黒星の歴代一位を記録した時と同じである。

寺尾は突き落としで勝ち、最後の土俵を後にした。

「常に勝つことだけを意識して取り続けてきたので、勝った時は嬉しかったですね。心の中で叫んでいましたよ、『どうだ！　俺は弱くてやめるんじゃないぞ！』とね」

花道の先では夫人、仲間、そして晴也君が花束を持って待っていた。寺尾の二十三年間を労《ねぎら》いながら。寺尾は子供から花束を受け取ると、照れを隠すためにそのまま歩を緩めることなく仕度部屋へと消えて行った。

「皆の顔を見た時、『終わったな』と。涙？『ウッ』とくるものはありましたが一瞬です。誰も気がつかなかったはず。あとはいつものように淡々としていましたね。風呂に入りながら、『いい相撲だったか？』と若い衆にいつもどおりに聞いていましたよ」

寺尾の力士としての相撲人生は終わった。

「完全燃焼？　二十三年も取り続けてきたからそう思われるかもしれませんが、悔いはありましたよ。千秋楽の打ち上げパーティー、そして二日続けて友達が慰労会をやってくれましたが、その翌日ぐらいから引きこもり状態に入ってしまったんです。人も来なくなる、テレビを見ていても、何も目に入ってこない、本を読んでも一行読んでそこから先に進めない、脱け殻ですよね。でも、それは完全燃焼したからではなかった。『ああしておけばよかったなあ』とか悔いていたんですから。『ああ、これから稽古しないんだよな』と思うと無性に寂しくなりましたね」

しばらく続いた寺尾の憂鬱を、スッキリと解消する答えが、年の明けた二〇〇三年の初場所で出た。もちろん、寺尾が土俵に立ったわけではない。

横綱貴乃花が引退を発表したのである。

「『終わった。これで俺の相撲人生は本当に終わった』と思いましたね。もうその時点で、自分は背広を着て歩いているし、やめたのはわかっていたんです。けど、十一年間も目標にし続けてきた相手の引退で、やっと自分もやめたことを実感できたんですよ。向こうは僕のことなんか眼中になかったでしょうが、僕は貴乃花に勝ちたい一心でしたからね。執念でした」

負けるはずのなかった相手に負けたこと。それが寺尾の執念に火をつけた。横綱になった貴乃花から金星を上げたこともあったが、それでも一番最初の黒星を帳消しにすることはできなかったのだ。自分が先に土俵を去った後も綱を張り続ける貴乃花の姿に、寺尾は自分でも気づかぬうちに、二度とありえない対戦に思いを馳せ、執念を燃やし続けていたのかもしれない。そして、執念を燃やし続ける目標がなくなった瞬間、寺尾にやっと、引き際が訪れたのである。

第二章　哲学

●本田宗一郎と藤澤武夫

二人のトップが遺したホンダの美風

一日二十時間一緒だった

「二十五年も社長をやっていると、知らず知らず経営者の感覚は鈍ってくるものです。自分だけ若いつもりでいても、従業員や社会からズレてくるものなんです。最近それを痛切に感じるようになりました。これが第一線を退く決断をした最大の理由です」

本田宗一郎。

松下幸之助と並び称される、世界に誇る日本のビジネスヒーローである。

一九七三年八月九日、社長辞任に先立って行われた記者会見でこう語る本田には、トップで居続けることへの未練など微塵も感じられなかった。淡々と語るその潔い姿勢に、誰もが敬意をもって引退を惜しんだ。

創業者一代で事業に成功した会社はそれほど珍しくない。では、多くの創業者の引き際はどうだろうか。経済紙誌を見る限り、目立つのはむしろ引き際の悪さだ。創業者であるがゆえに難しいのだろう。成功までの苦労の度合いが大きければ大きいほど、創業者のカリスマ性は輝きを増すからだ。さらには、創業者のカリスマ性が増せば増すほど、共に苦労してきた側近たちが離れていくケースをよく見かける。ここに創業者の二世が後継者として登場すれば、引き際を巡る典型的なお家騒動の出来上がりである。

ではなぜ、本田は見事な引き際を飾ることができたのだろうか。ホンダを築き上げた手腕以上に、彼の引き際についての興味はつきない。

本田が創業者としての確固たる哲学を持っていたことが一番大事なポイントであることは、言うまでもない。が、それ以上に大きいのは、藤澤武夫の存在だ。

「創業者の一番大事な仕事は、次の世代に経営の基本をきちんと残すことだ」

社史『語り継ぎたいこと　チャレンジの50年』によれば、藤澤は常々本田にそう言っていたという。本田もこれにまったく異論はなかった。藤澤は経営者としての寿命は、二十五年が限界と考えていたのだ。

私は残念ながら、生前の本田からも、藤澤からも、直接話を聞く機会を得られなかったが、彼らの書き残したもの、彼らのことを取り上げた記事、著作などを通して、本田と藤澤の二十五年を振り返りながら、引き際を考えてみたいと思う。

本田は、自著『本田宗一郎　夢を力に——私の履歴書』（日本経済新聞社）の中で、藤澤について次のように語っている。

「藤澤という人間に初めて会ってみて私はこれはすばらしいと思った。戦時中バイトを作っていたとはいいながら機械についてはズブのしろうと同様だが、こと販売に関してはすばらしい腕の持ち主だ。つまり私の持っていないものを持っている。私は一回会っただけで提携を堅く約した」

一方、藤澤は『経営に終わりはない』（文藝春秋）で、本田との出逢いを語っている。

「本田が、『金のことは任せる。交通手段というものは、形はどう変わろうと、永久になくならないものだ。けれども、何を創り出すかということについては一切掣肘《せいちゅう》を受けたくない、おれは技術屋なんだから』といったことが、非常に鮮明に記憶に残っています。（中略）そこで、私は答えました。『それじゃお金のほうは私が引き受けよう。ただ、今期いくら儲かる、来期いくら儲かるというような計算はいまたたない。基礎になる方向が定まれば、何年か先に利益になるかもしれないけれど、これはわからない。機械が欲しいとか何がしたいということについては、いちばん仕事のしやすい方法を私が講じましょう。あなたは社長なんですから、私はあなたのいうことは守ります。ただし、近視的にものを見ないようにしましょう』

技術の本田、経営の藤澤——まったく個性も才能も正反対の二人の意気投合だった。稀代の天才技術者と凄腕経営者による〝ホンダ神話〟は、こうして始まった。

一九四八年九月、本田技研工業株式会社は社史の最初の一頁を飾り、翌年十月に藤澤が経営に参加する。最初の七年間は、一日二十四時間のうち二十時間を共にし、電車の吊り革にぶら下がりながら、ホンダの将来を語り合っていたという。この濃密な時間を通して、二人の間にはホンダの基本的な経営理念が出来上がり、以後、しばらく顔を合わせなくともお互いの腹は読めたという。一年会わなくとも二分あればその間の溝は十分に埋まったともいうのだ。本田はこうも言っていた。

「いっしょにやっていけたのは、目的が完全に一致していたからだ。会社を大きくしようと。物の考え方や見方、その手法が違っていても、発想の起点と到達点では一つになるんだ。たとえば、大きな山を別々のルートから登って頂上で握手するようなものだよ。これが大事なことだったんじゃないのかなあ」

一九四九年、売上高が一千四百三十万円だったのが、五年後に二十四億四千万円、さらに翌一九五四年には七十七億三千万円にまで達した。ホンダは驚異的なペースで成長を遂げていった。これは本田が苦労して開発した軽オートバイ「ドリームE型」と「カブF型」の爆発的ヒットによるものだが、売ったのは藤澤だった。カブの販売では、全国五万五千店の自転車店にダイレクトメールを出して、取扱店を募集し、一千店と契約したのである。それまで皆無だった販売網を一挙に開拓したのである。

しかし、浮かれてばかりはいられなかった。一九五四年。創業七年目にして、早くもホンダが企業として生き残れるかどうかの分岐点が訪れる。

ドリーム号の成功で奇跡的な成長を遂げ、東京証券取引所に株式の店頭公開も果たしたが、オートバイ業界はホンダの成功に刺激され、メーカーが乱立。生存競争が激しくなり、経営環境は日増しに悪くなった。

「どんなに画期的な製品を開発しても、いい機械や設備がなければ商品化することはできない。それに外国からいい商品が安く輸入されれば国内のメーカーはほとんどがつぶれてしまうかもしれない。それには優秀な設備と機械の導入が必要だ。たとえ、そのために負担が大きく会社が潰れることになっても仕方ない。どうせ現状のままでは遅かれ早かれ潰れるのはわかっているわけだから、それなら道はひとつだ。最新鋭の工作機械を欧米から輸入するしかないじゃないか」

本田の悩み抜いて下した決断に、藤澤は迷うことなく賛成した。

「社長、おやんなさいよ。どのくらいお金がかかるか知れないけど、お金のことはどうにか算段するから私に任せてください。当面六千万円だけ現金があるけど、足りなきゃあ借金すればいいじゃない。その代わりいい機械と設備を入れて、どんどんいい商品を作ってくださいよ。じゃあ、早速買いつけに出かけてください」

このことは役員会に諮《はか》らず、二人だけで決めた。本田は勇んでアメリカ、ヨーロッパに買いつけの旅に出かけたのである。

当時まだ資本金六百万円の会社が発注した機械の総額は四億五千万円にのぼった。これがのちにホンダの経営に重くのしかかることになる。

異例のスピードで株式公開した成長企業に落し穴が待っていた。自信を持って売り出した補助エンジンの不振、排気量をアップした新ドリーム号の失敗、決定的だったのは画期的スクーターとして大ヒットを目論《もくろ》んだ「ジュノオ号」の失敗・製造中止であった。そこへ追い討ちをかけたのが工作機械の四億五千万円だった。

もう不渡手形を出す倒産寸前だった。銀行が閉まる午後三時にさしかかろうとしたところ、藤澤がかき集めてきた現金を持って飛び込んだ。間一髪で倒産の危機を免れたのである。ひとまずの危機を脱することはできても、次の支払いはやがてくる。

しかし、藤澤に金策を任せている本田の頭の中は、イギリスのマン島で行われるオートバイレース「TTレース」で占められていた。一九〇七年に始まった、モーターレースのオリンピックと言われる世界最高峰のレースだが、倒産の危機に瀕しているというのに本田はレースでの優勝を夢みていた。レースには莫大な金がかかるが、勝てばメーカーのイメージアップに直結し、売り上げアップにもつながる。社員の士気向上にも役立つ。

藤澤は本田の夢の実現のために、また資金繰りに奔走する。風変わりな発明オヤジと包み隠さず会社の実態を明かす藤澤の誠実さに興味を持ったのは、三菱銀行だった。世界を目指す会社にするという夢と、世襲制をとらず会社の将来は世界中で優秀な奴に託すというユニークさに打たれ、融資を承諾したのである。もちろん、四億五千万円の将来を見込んだ戦略やマン島のレースにも評価を下したのだ。

結局、会社を窮地に追い込んだ四億五千万円は、そこから生み出された製品に姿を変え、その後のホンダ再建に大きく役立っていったのである。

「わが人生最大の英断だった。あれだけの優秀な工作機械がなければ、どんなに画期的なオートバイを設計したところで、まともな商品は作れなかったよ」

本田はのちに、工作機械の購入をこう振り返っている。

生きるか死ぬかの大博打《おおばくち》を打った本田、本来は博打を打たない藤澤がそれを全面的に支持する、この二人の厚い信頼関係があってこその窮地からの脱出であった。

社長をとるか、技術者をとるか

もう一つ、ホンダの歴史の中で忘れてはならない出来事がある。水冷空冷論争だ。

一九六九年、世界中の自動車メーカーは、深刻な公害問題に直面し、低公害エンジン開発競争を展開していた。特に、翌年アメリカで可決された排ガス規制・マスキー法の存在は大きかった。ホンダが追求してきた高回転、高馬力は世界の流れから外れ、このままではホンダは時代に取り残されかねない岐路に立たされていたのである。低公害エンジンの開発競争は、自動車メーカーの将来の運命を大きく左右する。ホンダも取り組まざるをえなかった。

ところが、排気ガス対策には、本田がこだわり続けてきた空冷式エンジンでは、水冷式エンジンに対して決定的に不利であることがわかったのだ。

ホンダは二輪ですでに世界を制し、軽四輪でもN360という大ヒット商品を出したが、いずれも空冷式エンジンである。ホンダの中心的技術は空冷エンジン技術であり、世界一の技術蓄積があるという本田の自負があった。人真似の技術を嫌う本田にとっては、他社がやる水冷式など頭の中にはなかったのである。

ところが、本田以外の若い技術者たちは誰一人として、空冷式エンジンによる排ガス規制をクリアする車の開発に賛成していなかった。開発は決して不可能ではないが、他社に遅れをとることは死活問題である。皆の意見は一致していた。これまで本田に対して正面きって対決する者など皆無だったが、本田が孤立したのである。技術についてはわからぬ藤澤が動いた。若い技術者を本田には内緒で熱海に集め、彼らの本音に耳を傾けたのである。藤澤の腹も同じだった。東京に戻った藤澤は技術者たちの意見を本田に伝えた。

その時の本田と藤澤の息詰まるやりとりは『経営に終わりはない』に詳しい。

「いや、空冷でも同じことだ。できないことはないよ。あんたに説明してもわからんだろうけれど」

本田は信念の人であり、それが技術のことにおよぶとなおさらで、その考えを変えさせることは並大抵のことではなかった。それを十分に承知している藤澤はこう言って崩したのである。

「あなたは本田技研の社長としての道をとるのか、それとも技術者として本田技研にいるべきだと考えるのか、どちらかを選ぶべきではないでしょうか」

本田はしばらくの沈黙の後、

「やはり、おれは社長としているべきだろうね」

「水冷でやらせるんですね？」

「そうしよう。それが良い」

これが社史にも残る、有名な水冷空冷論争である。

この方針決定により、水冷式エンジンの開発が推進され、やがて世界中を驚かせた低公害エンジンCVCCが完成したのである。このエンジンを搭載したシビックはベストセラーになり、アメリカの「カー・オブ・ザ・イヤー」にも選ばれた。

藤澤はこの時の論争の意味を続けてこう語っている。

「ただ、この際いっておきたいのは、私にとっては水冷対空冷という技術上の問題よりも、はるかに大事な問題が、このときに解決したということです。

私は二十九年以来、新しい本田技研の組織づくりを目指してきたんですが、それがエキスパート制度、研究所の独立、役員室の設置というように、下のほうから順につくり上げてきた。最後に残っていたのが社長をどうするか、つまり本田をどのように位置づけるかということです。

社長でもあり、技術者でもあるというようなことでは、組織は定まらないんです。社長をとるか、技術者をとるかという選択を迫られた本田が、このとき社長業というものの在り方をすなおに受けとってくれたことで、私の組織図は完成したんですね。（中略）

しかし、いま私は、本田に空冷で研究開発させてあげたかったなと思っています。彼の才能をもってすれば、空冷でもきっとやり遂げられたでしょうから」

藤澤の描く組織図は完成した。それは次世代へと繋がるものだった。優秀な若手技術者も育っていた。一九七〇年四月、ホンダは創業以来続けてきた「本田―藤澤」の指導体制から、四専務による集団指導体制に移行した。二人に頼らない経営が、軌道に乗り始めていた。

藤澤の腹は決まっていた。問題は本田にどう幕を引かせるかであった。裸一貫、自動車修理工から自分の技術一つでここまで大きく育ててきた会社のトップの座を簡単におりるか。本田は口では「人生はソフト・ランディングが大事だ」とはいっていたが、どの程度の腹積もりでいっているものか、藤澤はいぶかった。できれば本田自ら勇退を口にすることをのぞんでいたが、仕事が趣味の本田にそれをのぞむのはむずかしい……。

一九七三年正月、藤澤は専務の一人・西田通弘を部屋に呼んだ。

「かねてから考えていたとおり、今年の創立記念日には辞めたいと思う。社長はいま社会的な活動をされているし、どうされるかわからないが、私からいわないほうがいいだろうから、専務から私の意向を伝えてもらいたい」

つまり、これが藤澤の、本田の晩節を思う女房役としての内助の功だった。藤澤は本田に恥をかかせたくはない。直接いうのは本人のプライドにさわるので、自分が踏み台になって、何気なく投げかけたサインに気がついてほしいと間接的に引退をほのめかしたのである。

しかし、藤澤はこの時、直接自分から本田に引退を告げなかったことを悔い、恥じていた。思慮深く慎重な藤澤が本田のあまりに潔い決断を読み違えていたからだ。

藤澤は著書の中でこう述べている。

「私は本田宗一郎との二十五年間のつきあいのなかで、たった一回の、そして初めで終わりの過ちをおかしてしまいました。本田は私のこと（引退）を聞くとすぐ、

『二人いっしょだよ、おれもだよ』

といったそうなのです。ほんとに恥ずかしい思いをしました。

その後、顔を合わせたときに、こっちへ来いよと目で知らされたので、私は本田の隣りに行きました。

『まあまあだな』

『そう、まあまあさ』

しかし、実際のところは、私が考えていたよりも、ホンダは悪い状態でした。もう少し良くなったところで引き渡したかったのですが。

『ここらでいいということにするか』

『そうしましょう』

すると、本田はいいました。

『幸せだったな』

『ほんとうに幸福でした。心からお礼をいいます』

『おれも礼をいうよ、良い人生だったな』

それで引退の話は終わった」

見事なあうんの呼吸だった。


本田と藤澤の潔い引き際は、以後ホンダの経営陣に引き継がれる。

本田の後を継いで社長に就任した河島喜好は、社史でこう語っている。

「社長になった時に、真先に考えたことの一つに、〝引き際の潔さ〟をホンダの美風として残したいということだった」

本田・藤澤の両トップが引退したあと、後継者たちは、二人から受け継いだ「ホンダ・スピリット」で、幾多の困難を乗り越えてきた。それを可能にしたのは、二人が見せた見事な引き際を無にせず、ホンダの財産としたからではないだろうか。

第三章　転身

●堀田力

母の死がきっかけとなって決心がついた

特捜部検事を目指して

一九七六年、日米を震撼させる戦後最大の疑獄事件が発覚した。ロッキード事件である。事件当時、元首相・田中角栄への五億円の贈賄を立証すべく日米間を奔走し、論告求刑を行ったのが、東京地検特捜部の検事だった堀田力《つとむ》である。

堀田はその活躍ぶりから「将来の検事総長」とまで言われ、法曹界のみならず国民からも大いに嘱望されたが、事件から十数年後の一九九一年、法務省ナンバー3にあたる法務大臣官房長を最後に、法曹界から突然去ってしまった。

今はさわやか福祉財団の理事長として、日本全国にボランティア活動のネットワークをつくるために東奔西走している。普通の常識では考えられない大転身に映った。

「もう私が検事としてやるべきことは、終わってしまったんです。やるべきことがなくなってしまった以上、いたずらに検察庁に籍を置いて、残り少ない人生の貴重な時間を、燃えずに過ごしていいものでしょうか。虚しいじゃないですか。立場的には自分用に専用車がまわされたり、秘書がついたりと役所における待遇は格段に上がっていましたが、本来したいこともしないで、捕らわれの身でいるような生き方は自分らしくない。根が貧乏性ですから、役所の広い個室で一人寂しくしているより、いくつになっても忙しく飛び回っている方が性に合っています。辞めたことは、決して後悔はしていませんし、むしろよかったと思っていますよ」

　堀田は京都大学法学部在学中、大阪地検が摘発した浴場汚職事件に心を熱くした。当時の堀田は法律を学ぶかたわら、小説家への夢も抱いていたが、この事件が人生を左右することになる。堀田の中で燻《くすぶ》り続けていた正義感を呼び起こしたのだ。

「国民の知らないところで、国民を代表すべき権力が腐って私利私欲を貪《むさぼ》っている。許されるべきことではない。それを摘発し、糾《ただ》していくのは検察特捜部しかないと一念発起したんです」

堀田は検事になることを決心した。

「検事は検事でも、特捜部の検事になりたかった。そもそも私は、上から指図されて使われることが嫌いなんです。その点からいえば、検事よりも弁護士の方がよかったのかもしれませんが、結局、弁護士は会社や個人のためでしょう。それに相手から依頼がなければできないわけです。検事の場合、一般事件は別ですが、汚職事件は『この辺に不正が潜んでいるのでは？』と自分から掘り出していくことができる。その際、特捜検事だと上司に仕切られることなく、自らのやりたいように動けます。そして巨悪を摑《つか》んでいく。それが好きなんです。だから、特捜部検事を目指して頑張りました」

司法試験に合格した堀田は、札幌地検を皮切りに旭川、大津の各地検の検事として任官した。そして、一九六五年に念願の大阪地検特捜部の検事として赴任したのである。

「二年余りの短い期間、猛烈に忙しかったけれども、凄くハッピーな時間でしたね。なにせ、特捜部は学生時代からの夢でしたから」

堀田は在任中、大阪タクシー汚職事件を摘発し、土日返上、昼夜を問わず働いた。仕事に夢中で長男が生まれたことも知らず、後で特捜部長から教えられたほどである。

「特捜部検事は家族に迷惑をかけるので、家庭人は務まりません。とにかく事件を第一に考える職人であり、猟犬のように嗅覚を働かせ不正の臭いだけに集中します。それを絶対的価値と思っていなければできません。つまり、特捜部検事という仕事は、家庭の犠牲の上に成り立っているようなものなんです。妻はそれを承知の上で結婚してくれました。今の時代ならそのようなことは許されないんでしょうが、妻は出産から何から全部自分でやってくれていました」

堀田は大津地検時代に結婚。式は八月十日という、一番暑い時期を選んだ。

「なんでまた、そんな暑い時期にわざわざ式を挙げるんだ！　着ていく物も大変だ！」

新郎の堀田は双方の親戚から猛反対にあったが、それには十分な理由があった。

「その年の秋（十一月）に総選挙が予定されていました。選挙違反から汚職事件に発展することも予想されます。もし、その時期に結婚式の準備をしながら、同時に事件を掘り当てでもしたら、式ができなくなってしまいます。その点、夏休みなら、まずそのようなことは起きませんから、敢えて暑い時期を選んだんです。もうその時点で、妻は結婚後の生活を予期し、覚悟を決めていたと思いますよ」

まさに、検事になるために生まれてきたような人間である。

「検事の、調べ上げていくという作業自体が好きなんですよ。推理を働かせ、人から話を聞き出し、ある時は瞬時に、ある時は慎重に、適切な判断を下さなければなりません。難しい勝負です。そのために緻密な戦略を立てるんですが、胸が躍りますね。自分が検事としての資質に優れているとは、けっして思っていません。私よりも容疑者を自白させることに長けていた人はいましたしね。ただ、摑んだデータからその先を読み、捜査の作戦を立て、相手に悟られないように、いろんな協力者を作り上げていくことにかけては、私も負けてはいませんでした」

とにかく特捜部長になりたかった

そんな堀田にとっては天職ともいえる特捜部からしばらく離れていた時期もあった。

第一線の現場から本省刑事局付検事、そして、一等書記官として在米日本国大使館へ出向することになったのである。

「それでも頭の中には、いずれ特捜部へ帰ることしかありませんでした。その日がやって来ることを信じて、汚職事件や脱税事件の研究を進んでやっていましたし、地理的にも永田町に近い法務省から、政界の動きを見つめてもいました。アメリカへ行ったのは、ちょうどウォーターゲート事件が勃発した時で、向こうの汚職捜査のやり方を勉強させてもらいました。また、視察と称して日本からたくさん政治家が来ていましたので、『どのへんが腐っていそうか』『どんな人脈を持っているのか』って目の前の政治家の観察もしていました。田中角栄氏の訪米中には、小佐野賢治氏とのつながりがはっきり見えました。後のロッキードの捜査では、その観察が大いに活きたんです」

どの部署に配置されようとも、どんな状況に置かれようとも、堀田の頭の中は常に特捜検事だったとも言える。再び特捜部へ戻ることを堅く信じて、その日がいつきてもいいように、シミュレーションをしていたのである。

その熱い思いが通じたのだろうか、アメリカから日本に戻ってくると、恋い焦がれていた東京地検特捜部検事の席が待っていたのである。

そして、ロッキード事件――。まるで、堀田の夢の実現のために用意されていたのではないかと思いたくなるようなタイミングで起こった疑獄であった。

堀田にとっては夢にまで見た、巨悪との闘いが始まった。しかも、相手はとてつもなく大きい。堀田がこれまで温め続けてきた特捜検事の血が騒がないわけがなかった。

ただ、難解な捜査である。事件は日米両国にまたがっている。それに突然、海の向こうで公になった事件ゆえに手元には何の資料もない。乗り越えなければならない壁は、限りなく高くて厚いというのに、堀田は超大物を相手に丸腰で立ち向かわざるをえなかったのだ。

疑惑追及の突破口として許されていたのは、ロッキード社のコーチャン副社長への嘱託尋問だった。尋問の成否如何で、事件は限りなく迷宮に近づいていく。堀田は迷うことなく、この大役を買って出たのである。

「自分から手を挙げてアメリカへ行くといった手前、失敗は許されません。嘱託尋問でコーチャンを落として証言をとることができなければ責任をとって辞めるつもりでした。向こうの法律でやるわけですからリスクは相当に高かった。たとえ失敗しても、おそらく誰も『辞めろ』とは言わなかったでしょう。でも、それでは私の性格としては、生き恥をさらすようなものなので、自分の進退については渡米前から覚悟を決めていました。公判がはじまってからも、万が一、（田中角栄が）無罪になるようだったら責任をとるつもりでしたよ」

ロッキード事件と共に、東京地検特捜部で七年を過ごした。一九八三年、堀田は、田中角栄に論告求刑を行い、東京地裁で一審有罪判決を勝ち取った。

敏腕検事・堀田力の名を世間に知らしめた瞬間であった。

「猛烈に忙しかったけれど、大阪地検特捜部時代同様、これまた実にハッピーな時でした」

その後、堀田は刑事局総務課長として本省に戻ることになるが、実は、堀田にはこの世界に入った時から一つの野心があった。特捜部長として汚職事件捜査を直接指揮し、巨悪にメスを入れることだった。

「とにかく特捜部長になりたかった。まわりにも『（特捜部長に）なりたいなりたい』って言いまくってましたからね。そもそも汚職事件などの特捜事件がやりたくて、入った道です。最終的には特捜部長として可能なかぎり巨悪の芽を摘み取ることが、自分の使命だと心に誓い、情熱を燃やしていましたから。一時、特捜部を離れて刑事局総務課長になりましたが、まだ年齢的にも次の行き先として、特捜部長になれるチャンスは残されていました。ひそかに期待を抱いて待っていたんです。ところが、一九八四年に法務大臣官房人事課長になってしまったんです。その時、特捜部長になったのが同期の山口悠介でした。彼は人事課長になりたかったようで、うまくいかないもんです。後になってこの人事の意味がわかってくるんですが、私のように『特捜部を指揮したい』というのは、上から見ると『危ない』とうつるんですね。勇み足をやらかすのではないかと。証拠をしっかり摑まないうちから『(容疑者を)クロだ』と、パッと決めてしまうのではと。それは検察にとってはマイナスになりますから、そのあたりを考慮した上で、私は特捜部長として適任ではないと判断されたようですね」

この人事が発令された時点で、年功序列という役所の慣習上、堀田の目標であった特捜部長への道は、ほとんど絶望的となってしまった。

「『終わった』と思いました。一瞬にして目標をなくしてしまったことで、脱け殻状態になっていましたよ。人事課長は大変に重要なポストです。任命を受けたことに対しては、誠に光栄なことだと思いますが、頭の中には特捜部長しかありませんでしたからね。『生意気だ、贅沢だ』と思われるかもしれませんが、私の考えとして、人事は所詮、人間がやることではない、神様がやることだと思っていましたから。そんな考えでこのまま人事課長として法務省にいていいのかなと、心が揺れていました」

今回の人事はまぎれもなく栄転であり、エリートの中でもさらに上を目指せる出世コースに乗っていたのは間違いない。

しかし、それは堀田の本意ではなかった。普通なら本意でなくとも、重責を担うことに満更ではない気がするものだが、堀田にとっては挫折だったのである。

「検事総長か特捜部長か？　そりゃあもちろん、特捜部長を選びますよ。検事総長のポストに魅力がないわけではありませんよ。でも人事課長の時、総長の部屋に直接足を運ぶことがありましたが、広い部屋でドーンと構えているその様は、私には憬《あこが》れには映りませんでしたし、むしろ、総長がどんなに寂しいものかを感じていました。実際、後に自分が官房長に就いた時のことですが、官房長室の敷居が高いらしく、誰も気楽に近寄ってこなくなったんです。来たとしても、用が済んだらサッサと引き上げていってしまう。官房長として自分も、寂しい思いを経験していましたからね。

大事にされるのはありがたいことですが、私にとってはやっぱり現場で直接、陣頭指揮を執る特捜部長が一番なんです。生涯一検事として、現場を預かることができれば本望でしたからね」

看取れなかった母の死

堀田はロッキード事件の時、担当検事の責任として、常に辞表を胸にしていたが、特捜部長の夢破れ、生き甲斐を失くしてからは、本当に辞めることを視野に入れはじめた。

「検事をやめようという気持ちが強まっていったのは、人事課長を経て一九八八年に、甲府地検検事正として赴任した一年目の時でした。

甲府で最初の捜査は共産党の市会議員の詐欺事件でした。事件の指揮は主任検事が執ることになっているので、検事正の自分は、ああやれこうやれとはあまり指示を出せないんです。捜査は自分の目の届く範囲内で行われているのに、これが実に近くて遠いんですよ。『もう自分が捜査に関われるとしてもここまでか』と、寂しくなりました」

若い頃のように現場を飛び回れない寂しさが、時間とともに増幅されるばかりだった。このまま寂しさに耐えながら検事生活をまっとうしなければならないのか。そう自問自答を繰り返す一方で、堀田の頭の中には、次なる目標が芽吹き始めていた。ボランティア活動だった。

発端は一九七二年からの三年半にわたる、在米日本国大使館への出向にさかのぼる。堀田は結婚して以来ずっと、家庭を顧みることのできない多忙な生活を余儀なくされていたが、この期間だけは違った。当たり前のように土日を休み、休暇もたっぷりとれ、初めて家族との生活を楽しむことができたのだ。その時目《ま》の当たりにしたアメリカ社会が、その後の堀田の人生を大きく変えるきっかけになるのである。

「当初、子供たちは英語ができなかったので、いじめられないかと心配でした。ところが、向こうの社会は私たちを差別なく、温かく迎え入れてくれたんです。近所の人とバーベキューをしたり、ホームパーティーに招待されたりと、日本では経験したことのない楽しい生活でした。なかば逆のことを覚悟して行ったのに、『こんな社会っていいなあ』というのを体中で感じました。

特に、アメリカではボランティア活動が盛んで、お互いのプライバシーを尊重しながら助け合って生活しているんです。日本もこういう社会にしていくことは大事で、退職したらボランティア活動をやりたいと漠然と考えるようになっていました。検事同様にやりがいがあり、生き甲斐を感じながら頑張れるんじゃないかと思ったんです」

帰国すると、夫人はアメリカでの体験を活かし、堀田に先がけて日本でも本格的にボランティア活動を始めていた。堀田は夫人から活動の話を聞かされ、自らも知らず知らずのうちに高齢化社会へ向けてのボランティア活動の重要性を確信していったのである。

一九九〇年、法務大臣官房長に就任した堀田は、ますます現場から遠のいてしまい、寂しさを募らせるばかりになっていた。それでも、忙しさだけはまったく変わらなかった。

そんな、官房長として二年目に入る頃、一年近く京都の病院で入退院を繰り返していた母親を、癌のために亡くした。兄弟の中で堀田だけが看取ることができなかった。

「母には申し訳なく思っています。官房長として忙しくしているあまり、入院中もなかなか帰れず、見舞いに行くことすらできませんでした。結局、息子として最後に何もしてあげることができず、悔いても悔いたりません。もし、かねてからずっと考えていたボランティア活動のネットワークの仕組みができていたら、少しでも母のために何かすることができたのですが」

　堀田が考えていたネットワークとは、日常行っているボランティア活動をポイント化し、活動で貯めたポイントを使って自分の手の届かないところ（たとえば、東京にいる堀田ならば京都）にいる母親の介護を、その近くにいるボランティア仲間に依頼できるというネットワークである。まだ当時は構想の段階で、実際に作って機能させることができないうちに、堀田は母親を失ってしまったのである。

「この母の死がきっかけとなって、辞める決心がつきました。本格的にボランティア活動に取り組む時がきたと」

　それまで仕事一筋で家庭を顧みないできたことへの、償いを迫られていると感じていたのかもしれない。堀田の決断は固かった。

　堀田は出棺までの三日三晩、ドライアイスを抱く母親の遺体に添い寝をしていた。もう堀田にとっては官房長の肩書きなど無用の長物だった。特捜部長の夢破れた時から、こうなることは必然だったのかもしれない。堀田の頭の中は、役所を辞め、ボランティア活動をいつ始めるかということで占められていた。決断が遅れたことの無念が、母との添い寝にも表れていた。

「たとえ、母が存命でも、私が辞めるのは時間の問題でしたね。甲府地検の時から考えていたことですし、辞表はすでにあたためていましたから」

東京に戻った直後、堀田は辞職を申し出た。辞表は事務次官が預かったが、すぐには受理されなかった。大臣官房長が辞職願いを出すケースなど、他の省庁を見てもほとんど前例がないからだ。事務次官が総長と相談して出した返答は、

「本来、このポスト（官房長）なら辞職は認められないけれども、君はロッキード事件で頑張ってくれたし、辞めたい理由も理解できるから、認めないわけにいかない。これまでの君の功績には借りがあるから認めよう。但し、借地借家法の改正法案を国会で通せ。辞めるのは法案を通してからだ。それまでこのことは黙っていろ」

というものだった。結局、その年の九月に抱えていた法案を通すことができ、十一月のはじめに正式に承認を得た。定年まであと六年を残していた。

「私の辞任の話を事前に知っていたのは、総長と次長と次官の三人だけでした。後で知らされた人事課長には怒られましたね。辞めることは妻にも話していませんでした。辞めると言ってから、辞職の承認が得られなければ、妻は戸惑うばかりでしょうからね。だから、相談すらしていません。承認を得て、実際に辞める直前に言いました。『辞めるから』と。妻は全然驚きませんでした。驚かないだろうと思ってはいましたけどね。だいたい妻は、私が言い出したらきかないということを知っています。現に、嫌というほどそれを経験していましたからね。それに『この人はしたいことをさせないと、病気になるか、駄目になってしまう』ということも」

検事としての堀田は、最後の最後まで家庭を顧みることはなかったようである。

しかし、さすがに夫人は長い間いっしょに暮らし、苦労しているだけあって、堀田の身の振り方については早くから気がついていたという。意気に感じて特捜検事をやってきた男がその役を取られ、読んでいる本がボランティアとか福祉関係のものとなると、堀田の腹の底ぐらい、夫人はお見通しだったのだろう。

さて、新たな目標を持って辞めた堀田の引き際は、どう見られていたのだろうか。

「辞めることが発表されると、全国の検事仲間や後輩たちから、『なぜ辞める！』と、ものすごく責められました。『敵前逃亡だ！』『無責任だ！』と言ってね。私は人事課長から官房長にかけて、下の意見を活かして組織を活性化する方向でやってきましたから、やる気のある仲間や後輩たちは期待してくれていたんですね。彼らにとって私の存在というのは、上から押さえつけたがる役所の体質の防波堤的役割で、それがなくなることの失望感があったんでしょうかねえ。いくらボランティア活動のことを話しても誰も理解してくれようとしないんです。『金儲けでもないし、何なんだ』という感じでした。私は検事の仕事の延長として、ボランティアがあると思っているんですけどね」

なりたくてなった検事一筋、家庭を犠牲にしてまで働き、歴史的疑獄事件を手がけ、将来の地位も約束されている——。まわりからしてみれば、それまで組織の中で築きあげてきたすべてを捨てることに、多少なりとも未練が残るはずと思うのも無理はない。

「（未練は）まったくないですね。辞めた翌朝、起きた時からもう、頭の中はこれから展開していく活動のことでいっぱいでしたから。定年まで待たなくても、今すぐやったほうが体も若いんだし、一刻も早くやりたかったんですよ。時間が惜しかった。これから一生かけてもやりきれないと思いますからね。それに、ボランティア活動には肩書きは邪魔になります。経済的な不安がないことはなかったのですが、講演活動とか書き物をして何とか生活はできるだろうと思っています。弁護士の肩書きはありますが、基本的には絶対にやりたくないですね」

堀田が取り組んでいる活動は、少子高齢社会に向けてこれまでの行政依存型の制度ではなく、地域で活動するボランティア団体の設立や運営の推進をはかり、ボランティアの輪を全国に広げようというものだ。それを担っているのが、さわやか福祉財団だ。

かつて巨悪から泥棒まで、どんな悪党でも堀田の手にかかると自白してしまったそうだ。机をガンガン叩き、声を荒らげて取り調べをするわけではなく、その口調はきわめて穏やかなものだったという。それほどの敏腕検事がいう転身とは？

「今、私がやっている活動は特捜事件と同じですよ。先を読んで、作戦を立て、人を説得していく。すごく似ているんです。一生かけてやれるかぎりやるしかないですね。

人生は好きなことをして生きていく以外ないと思います。したいと思うことをしないと駄目ですよ。したくないことをしたらアカンね、ストレスになるだけですから。せっかく生まれてきて、一回の人生ですから好きなことをやらないと。それで飯が食えるのが一番じゃないですか。何もむずかしいことはありませんよ、どんな人でも好きなことをやって食べていけますよ。ただ、美味しいものを何でも食べられる人は運のいい人ですけれども、何もそこまでのぞむ必要はないじゃないですか。餓死することは絶対にありませんよ」

第四章　けじめ

復興の空白期間をつくらないために

●鐘ケ江管一

願掛けのつもりで

「普賢岳は島原半島の中で一番高い山です。子供の頃は『普賢さん』とか『お山さん』と親しみを持って呼び、島原の人間にとっては自慢の山でした。ただ、我々をこれほどまで苦しめた山に『さん』や『お』を付ける必要はないと恨めしく思ったこともあります。

今ではやっと落ち着きを取り戻し、昔の『普賢さん』に戻ってくれました。

でも、山と闘った二年間と犠牲者への思いは、市長を辞めた今でも決して忘れることはできません」

一九九一年六月三日、雲仙普賢岳が二百年ぶりに大噴火し、火砕流が四十三名もの尊い命をのみこむという大惨事が起こった。当時、島原市長として災害対策の最前線に立って指揮していたのが鐘ケ江管一である。

鐘ケ江は轟音《ごうおん》とともに続く火山活動の中、災害対策から住民の生活補償まで、県内だけでなく東京・霞が関の各省庁への陳情に、休むことなく東奔西走する毎日を余儀なくされていた。毎朝五時に起床し、日曜祭日も六時前には市長室に入る。全国から寄せられた励ましの手紙に目を通し、八時半からの対策本部会議にのぞむ。いつまた大きな噴火が来ないとも限らない、自然の恐怖と向き合いながら、市役所に設けられた対策本部に泊り込むこともしばしばだった。気がつくと、顔は白い無精髭に覆われていた。剃らねばならないとわかってはいても、次から次へと降っては湧いてくる難題に、髭は伸ばしっぱなしにするしかなかったのである。

「本当に髭を剃っているヒマなんかありませんでした。顔全体に一センチほど伸びた頃に、『ヨシッ、もう髭は剃らんぞ』と決めました。山が落ち着きを取り戻すまでは願掛けのつもりで放っておくことにしたんです。着るものも、お祝い事から弔いにいたるまで、すべて防災服で通すことにしました。緊急事態ですからやむをえません」

連日テレビに映し出される悲惨な災害の状況と、インタビューを受けながら涙を流している姿がオーバーラップし、鐘ケ江は一躍時の人となった。そして、いつの間にか「髭の市長」「髭と涙と防災服」といった愛称までついていた。

「髭を伸ばすことについて、政治的パフォーマンスだという批判も受けましたが、いちいちそんな批判に耳を貸している余裕もありませんでしたね。むしろ、この髭は随分と災害復興を助けているんです。たとえば、髭の伸び具合が災害の長期化を象徴し、霞が関の各省庁を陳情で回れば、『まだ普賢岳の噴火災害は続いているんだ』とひと目でわかってもらえました。羽田からモノレールで移動している最中に、髭を見て『島原の鐘ケ江だ』と気がついた、四国で製紙業を営んでいる方が、トラック二台分のティッシュペーパーを届けてくれたこともあります。とにかく、会う人会う人に『ご苦労さま』と声をかけていただきました。これも髭の効用だと思っています」

結局、鐘ケ江は六月三日の大惨事から翌年十二月に市長を辞職するまでの一年半の間、髭を剃らずに普賢岳が鎮まるのを待ったのである。

それにしても、自然の猛威とは恐ろしい。

噴火が起こる前まで、島原は豊かな自然に恵まれ、温泉も湧き出て、さしたる大きな事件もないのどかな町だった。それが一転、空からは火山灰が降り、陸では土石流が町を寸断し、火砕流が木々だけでなく住宅までも燃やし尽くす。最悪の場合、島原はゴーストタウン化も覚悟しなければならなかったのだ。鐘ケ江ばかりか、島原の誰もが、ただただ戸惑うしかなかった。

「最初、普賢岳の山頂付近から白煙が二本上がっているという通報が入った時は、山火事ぐらいにしか思わなかったんです。ところが、測候所の調べで噴火とわかって、一瞬、緊張しました。ただ、噴火と聞いても、二百年前の、噴火による大地震と津波で約一万五千人もの犠牲者を出した『島原大変』を経験した者など、町には一人もいませんから、実感は湧いてきません。専門家の話では火山が噴火する際、まず地震か爆発を伴うものだが、今回は地底のガスが噴煙として抜けた一番いい状況で、さしあたって心配はいらないとのことだったんです」

たしかに、普賢岳は休火山で再び大噴火する可能性があるとは言われていたが、町の人たちにとっては「まさか」という思いがあったろう。

しかし、その「まさか」が現実に起こってしまったのである。

赤信号に救われた命

最初の噴火から三カ月後には噴煙に伴い火山灰が降り、さらにその三カ月後には土石流が発生し、同時に、小規模ながら火砕流も認められた。避難勧告も出される。もうここまできたら自然の猛威は待ってはくれない。

そして、今でも鐘ケ江の心の中に傷となって残っている、四十三名の犠牲者を出した大規模な火砕流が発生するのである。

「実は私もあの時に一度死んだ身なんです」

六月三日、鐘ケ江は午前中に大雨の予報を聞いて、土石流が心配になったので、午後三時四十分に市役所を出て、山の上へ現場視察に出かけることにしたのだ。鐘ケ江の乗った車が、山へ向かう国道と半島に通じる道路の交差点にさしかかったところで、信号が赤に変わった。その時、十分な睡眠もとれず、疲労を蓄積させていた鐘ケ江の体が、とうとう悲鳴を上げた。持病の坐骨神経痛が襲ったのである。ちょうど信号を曲がったすぐのところに、鐘ケ江行きつけの温灸院があった。「打てる時に鍼《はり》を打っておこう」と思い立ち、信号で止まったのを機に立ち寄ったのである。鐘ケ江の運命を分けた瞬間であった。鍼治療を受けている真っ最中に、それは起きたのである。

「ドーン、と雷が落ちたような音が鳴り響いたんです。何事かと慌てて窓から外を見ると、今まで見たこともない真っ黒な噴煙が山からモクモクと湧き上がり、空に向かって広がっていました。すぐにわかりました。『火砕流だ！』と」

もし、鐘ケ江の車が赤信号で足止めされず、そのまま山へ向かっていたら、四十四人目の犠牲者になっていたことだろう。

「亡くなられた方々には本当にお気の毒に思っています。犠牲者の中には報道関係者も多く含まれていました。少しでも現場に近づいて、自然の脅威を迫力ある映像でレポートしようと……。報道の過熱が結果として、最悪の形であらわれてしまった。報道の方々には連日、日本全国に島原の現状を伝えていただきました。おかげさまで、多大な義援金や救援物資を頂戴することができたんです。また政府を動かす力にもなってくれたと思っています。それゆえに残念でなりませんでした」

しかし、いつまでも落胆してばかりもいられなかった。次にいつまた火砕流が襲ってくるかわからない。鐘ケ江は現場の責任者として重大な決断を迫られていたのである。

警戒区域の設定をどうするかだった。

災害対策基本法第六十三条によると、警戒区域の設定は市町村の責任で、つまり市長である鐘ケ江が決めなければならない。知事にその決断を迫られた鐘ケ江は悩んだ。

「一番辛かったですね。避難勧告には拘束力はありませんが、警戒区域を設定してしまうと住民は、区域内が自分の土地でも法的に一切立ち入ることができなくなるんです。畑にも入れなければ、家畜の世話もできない。もちろん自分の家にも入ることはできません。つまり、警戒区域の設定は、区域内の住民の生活権を奪ってしまうようなものなのです。経済的に行き詰まり、絶望して自ら命を絶つ人も出かねません。しかし、警戒区域を設定しなければ第二次、第三次の犠牲者が出る可能性もあるのです」

鐘ケ江と知事の議論は三時間にも及んだ。点滴でかろうじて体をもたせていた鐘ケ江は、心労も重なり、頭の中はパニック状態、心身共に極限状態に追い込まれていたのだ。

「知事がそんなに仰《おっしゃ》るなら、自分はこの窓から飛び降ります。もう楽になりたい」

話し合っていたホテルの四階客室の窓から本気で飛び降りようとしたのだ。

「何てことをするのか。残された住民はどうする、自分だけ楽になってどうする！」

知事は鐘ケ江を叱りながらも、自分の命に代えてまで市民を思う鐘ケ江の決死の覚悟に打たれ、警戒区域設定後の住民の損失を国と県が支援していくことを約束した。

「考えてみれば、私は一度死んでいるわけです。そう思えば、何が起きたって動揺することはないんです。六月三日の赤信号は、いわば神仏からの『住民の生活を守るために災害対策と復興に向けて汗を流せ』というメッセージでした。くよくよしたり、悩んでいる暇はない、自分のすべてをかけて立ち向かうぞ、それが一度死んだ人間としてのけじめだと。あのときは、市長という、市民の先頭に立って冷静でなければいけない立場を忘れ、熱くなっていました」

六月七日午後六時、鐘ケ江は警戒区域の設定を発表した。以後、鐘ケ江の任期中は一人の犠牲者も出てはいない。

その後も一切休むことなく、走り続けた。災害復興の特別立法制定のために海部俊樹首相（当時）に懇願したり、特別交付税給付の前倒しを自治大臣に願い出たりした。六月三日以来剃らないと決めた髭は、彼の活動に比例するかのようにさらに伸びていた。

そして、年間予算約百億円の島原市に寄せられた義援金の総額は約二百三十億円と、予算の二倍以上の善意が集まったのである。また、激励の手紙も二万通近くに及び、鐘ケ江はほとんどすべてに目を通し感謝していた。

選挙をやったらどうなるか

大火砕流から一周年を迎える頃には「普賢さん」もようやくおとなしくなっていた。慰霊祭の後、鐘ケ江は犠牲者の遺族と共に自衛隊の大型ヘリコプターに乗り、被災地上空から花束を投下し、手を合わせた。長くて苦しい一年がようやく終わった。

しかし、完全復興までにはまだまだ時間がかかる。引き続き解決しなければならない問題も少なくない。鐘ケ江にとっては相変わらず心の休まる瞬間はなかったが、気がつけば大切な時期を迎えつつあった。選挙である。市長としての任期は一九九二年十二月十七日をもって満了となる。当然、鐘ケ江としては四期目もやるつもりでいた。

噴火からずっと市長として陣頭指揮をとってきた鐘ケ江は、町が再生するのを見届けるまでは市政を投げ出すわけにはいかなかったのである。

ところが、予想だにしない事態となった。

九月二十四日の市議会全員協議会で立候補表明をする予定でいた鐘ケ江の前に、現職の県会議員が立ちはだかったのだ。

鐘ケ江に先立つ九月十八日、本多繁希県議が「不退転の決意で立候補する」と表明したのである。噂には聞いていたが、鐘ケ江は驚きを隠せなかった。本多はそもそも、鐘ケ江を市長として担ぎ出したうちの一人であり、その後も選挙協力を結ぶ間柄であったからだ。

しかし、それ以上にショックだったのは、本多の選挙対策本部長となった人物の存在だった。彼は鐘ケ江の長年の有力な支援者の一人だったのである。これには鐘ケ江もやりきれなさが募った。

この選挙は現職の鐘ケ江が無投票で四期目に入るだろうと誰もが疑わなかった。鐘ケ江本人も任期中から、すでに四期目を視野に入れ、長期的展望にたった市政を頭の中に描き始めていたのだ。

鐘ケ江は悩んだ。選挙の行方に不安を抱いていたわけではない。このまま普通に戦っても、四選される自信は十分にあった。彼の悩みは自分の当落ではなく、選挙が行われることで行政に空白ができることだった。そしてもう一つ、町を二分してしまうことだ。無投票四選しか考えていなかった鐘ケ江は、また新たな決断を迫られていたのだ。

「住民とは賠償問題をめぐり、侃々諤々《かんかんがくがく》の議論をすることもありました。自然災害は自主救済が原則ですので、怒りのもって行き場が大変にむずかしい。住民が納得できないこともよくわかっていました。私は市の財政事情や国や県の支援体制を、市長室に押しかけてくる住民と膝を交えて時には怒鳴り合いながら話し合いました。警戒区域の設定時も、予想どおり反対してくる人がいました。その中に、本多議員の選対にまわった私の支援者もいたのです。みなそれぞれの思惑があります。正直なところ、町は一枚岩となって災害復興へ向かっているとはいえませんでした。でも、徐々にではありますが、時間をかけてじっくり議論していく中でいい方向に向かってきていたんです。

それがここで選挙をやったらどうなるか？　今までやってきた努力がリセットされて

しまいかねません。選挙の行われる十二月は、首長として陳情のために積極的に動き回らなければならない時期でもあるんです。だからこそ絶対に、選挙運動によって、復興の妨げとなる空白期間をつくってはいけなかったんです。立候補すべきかどうか、誰にも相談せず一週間悩み、眠れない状態が続きました」

鐘ケ江はそもそも根っからの政治家ではなかった。家は大正初期から続く大きな旅館を営んでいた。女兄弟ばかりで、両親とも早く亡くした鐘ケ江は二十歳で伝統ある旅館を継ぐことになったのである。旅館は修学旅行や西鉄ライオンズのキャンプ、大相撲の巡業でも使われ、誰からも愛されていた。町の名士となった鐘ケ江は青年会議所の理事長、そして市や県の教育委員長の肩書きを持つまでになり、その流れで市長候補として白羽の矢が立ったのである。

市長になってからも、旅館の経営は続けたが、それが政敵につけ入るスキを与えてしまった。鐘ケ江は雲仙島原観光と町の活性化を目的として、韓国プロ野球チームを誘致し、キャンプ中旅館に泊まってもらったが、公私混同との批判を受けてしまったのである。

「それなら廃業する」と、鐘ケ江は先代が作り、全国に多くのファンもいる伝統ある旅館をあっさりと手放してしまったのである。

「キャンプ誘致は町にとってよかれと思ってやっていることだったのに、そういうとられ方をされたのは心外でした。ならばと、市長に専念する意味合いもあり、けじめをつけたんです」

この潔さに敵はぐうの音も出なかったという。鐘ケ江の男気を表す一つのエピソードである。そんな鐘ケ江が新たな難題に対していかなる決断をしたのか。

九月二十四日、鐘ケ江は市議会全員協議会終了後、正式に不出馬を表明した。

「私は、苦しみぬき、熟慮いたしました。そして、結論を導きだしました。

私は、今なお、噴き続けるヤマの災害の只中にあって、身を引くことの耐え難さを市民の皆様に心からお詫びしつつ、今は市長のポストで争いをする時期ではない、まさに、一刻の空白もなく、一致団結して事に当たるべき時と心得、この際、私が引くことによって、空白を作ることなくそれが叶《かな》えられるならば、ここに出馬を断念いたすべく、決意したのであります」

悩み抜いた末の苦渋の選択である。

このあと、支援者だけでなく一般市民からも鐘ケ江の元にはひっきりなしに電話がかかってきた。「もう一度考え直せ」「敵前逃亡だ」「勝てる選挙をなぜ降りる」等々。なかには、「市長は義援金を着服したんじゃないのか」との声まであった。

「六十歳を過ぎたら、出処進退を明らかにする、意思表示は明確に。これは公職に就く者の義務だと思っていました」

鐘ケ江の中では、四期目に入ってからの、災害復興に向けての青写真もほぼ出来上がっていた。結果的にそれを放棄する形になってしまったことに胸を痛めたが、たとえ手法は違っても、住民のために粉骨砕身して、災害復興にあたる決意には変わりがなかった。だからこそ、鐘ケ江は身を引くことで決着をつけたのであった。政治家として一つの大きなけじめであった。

「山が収まるまでは剃らない」と願掛けのつもりで伸ばしていた髭にも別れを告げる日が来た。市長を辞めたこともあるが、火砕流もおさまり、慎重だった専門家たちが「終息に向かいつつある」と発言したからである。

「市長を降りて一市民に戻ったからには、私が目立っているわけにはいきません。新市政も発足したわけですし、〝髭の市長〟の看板を下ろすことにしました」

一九九二年十二月十八日、退任の翌日、鐘ケ江は市内のお寺で「剃髭式《ていししき》」を行った。後援会長や災害対策活動の前線でいっしょに汗を流した自衛隊の連隊長、警察署長らが、まるで相撲の断髪式さながらに、長く伸びた白い髭に少しずつ鋏《はさみ》を入れていった。そして、最後に髭を落としたのは、夫人である。髭は二十七センチにまで伸びていた。

落とされた髭は知人の彫刻家が彫った、能の白色尉《はくしきじょう》の面の顎に取り付けられ、鐘ケ江家に飾られている。

「人生の節目がやっとひとつ終わったという感慨がこみ上げてきました。しかし、市長としての仕事にはけじめをつけましたが、肩の荷が下りたわけではありません。四十三人もの尊い命が奪われたことは、死ぬまで頭から離れることはありませんし、一生、その十字架を背負って生きていくことになります。そして、これからも島原がどんなことになろうとも、私はこの土地を離れるつもりはありません」

四十九歳で鐘ケ江が市長に初当選した時のスローガンは「住んでよかった町」だった。

「島原には災害のマイナスイメージがあるかもしれませんが、私は故郷・島原を住んでよかった町であると誇りを持って言えます」

鐘ケ江は島原を心底愛している。だからこそ故郷を誇る気持ちは、災害などでは微塵も揺らがないのだろう。だが、今もそう断言できるのは、引き際を誤らなかったからではないだろうか。政治家の「けじめ」と聞いてすぐに頭をよぎるのは、不祥事の責任を曖昧にしたまま「けじめ」をつけて辞任する姿だ。政治家の無責任な「けじめ」に、うんざりさせられることが多い分、鐘ケ江の政治家としての引き際が、一層際立つのである。

第五章　惜しまれて

●池永正明

「下関といえば、ふぐと池永正明です」

球界が待ち望んだ逸材

「俺は信じてる　エースは必ず帰ってくる」

「カムバック期待しています」

「神さま仏さま池永さま」

「池永さんは絶対に悪くない」

九州最大の歓楽街、福岡・中洲。この街の、あるスナックのトイレに書かれた落書きの一部である。この他にもトイレの壁という壁には隙間なく、落書きの上にまた落書きがあるほどビッシリと書かれている。酔った勢いの単なるイタズラは一つとしてない。

その内容はどれも一人の男への激励、憧憬、讃歌といったメッセージなのだ。

　ここは日本プロ野球界を震撼させた「黒い霧事件」（一九六九年）で、永久失格選手として球界を追放された元西鉄ライオンズのエース・池永正明の店「ドーベル」である。一九七二年のオープン以来、今でも池永の復帰を信じ、慕って来る客が後を絶たない。

　私が初めてドーベルの敷居を跨《また》いだ夜、このトイレの落書きに目を奪われ、それまでの酔いが一気に醒める思いがした。

「もうあの事件から三十五年が経とうとしています。あの時に私の野球は終わりました。ただ、今でもこうしてトイレの壁に励ましの落書きをしてくれる多くのファンの方がいます。まだ池永は投げられると思っているのかもしれませんが、いくら励まされても昔のようには投げられません。あの時に〝永久失格〟となった人たちも、もうかなり年をとって、なかには亡くなられた人もいます。それでも、『黒い霧事件』という汚い言葉だけが残っています。私もこの店で今日まで苦労してやってきました。もういい加減許していただけないだろうか、〝永久失格〟の四文字を池永正明からとって欲しい、私の願いはただそれだけです」

池永は十年に一人出るかどうかという、まさに球界が待ちのぞんでいた逸材だった。下関商二年春の選抜大会で優勝、夏の甲子園では準優勝投手に輝き、抜群のコントロールと速球、切れのいい変化球に十二球団すべてのスカウトが池永詣《もう》でをしたほどだった。一九六五年、池永は五千万円という当時破格の契約金で西鉄に入団する。実力、将来性からいって、決して高い買い物ではなかった。

その期待どおり、プロ一年目にして二十勝をマークし、文句なしの新人王。三年目には二十三勝の最多勝を上げ、早くもパ・リーグを代表するピッチャーになっていた。最初のプロ五年間で通算九十九勝をあげたが、これを上回るのは稲尾和久の百三十九勝と金田正一の百勝のわずかに二人だけである。ゆくゆくは日本の球界を背負って立つピッチャーとして大いに期待されていた。「黒い霧事件」さえなければ池永は、間違いなく球史に数々の記録と記憶を残す大投手になっていただろう。

「黒い霧事件」とは、西鉄の永易《ながやす》将之投手の八百長試合告白に端を発した野球賭博事件だ。永易は調べに対して、自分と同様に八百長試合に参加しているという全球団七十名余りもの選手の名前を挙げた。その中に「池永正明」の名前もあった。

「自分としては名前を挙げられたことに関して、あまり深刻には考えていませんでした。永易さんは、私がそのような八百長試合に参加していないことは知っていたはずです。何かの勘違いだと、のほほんと構えていましたね」

しかし、事件は池永が考えているほど簡単なものではなかった。国会でも取り上げられるほどの社会問題に発展したのだ。プロ野球コミッショナー委員会も当然黙って見ているわけにはいかず、憲法学者でもある宮沢俊義コミッショナーを委員長に独自の調査をはじめた。疑惑を持たれた選手たちは極秘裏に喚問され、最終的に信義に基づき、自らの手でそれぞれが調書を書いたのである。これがコミッショナー裁定の元になった。

「私は実際に八百長などしていませんから、疑惑をかけられたことに対し、『なぜ？』という気持ちのほうが強く、納得できないものがありました。何もしていないことは自分自身が一番よく知っていますからね。不安？　裁定まで『どうなるのかなあ』という日々を送っていた気がしますね。ただ……」

池永は「八百長試合はしていない」と、白日の下、堂々と公言することができた。ただし、一つだけひっかかる問題があったのだ。

一九六九年九月、平和台球場で練習中の池永のもとに、かつての同僚で中日に移籍した田中勉が訪ねてきた。池永は田中に誘われるまま中洲で食事をとることになり、夜遅くまで付き合ったのだ。旧交を温めているなかで、田中は本題に入った。

「試合で手心を加えてくれないか」

田中は池永に八百長試合を持ちかけたのである。田中はいろんな有名選手の名前を挙げて、「みんなやってること」として八百長への参加を強く促した。

そして、新聞紙に包まれた百万円の束を池永の前のテーブルの上に置いたのである。

「八百長なんてとんでもない!」

池永は最初から、田中の話には耳を貸さなかった。田中も池永が話にのってこないのはわかっていたようだが、賭博の胴元周辺からの依頼を断りきれなかったのだろう。無理を承知で百万円だけでも置いて体裁を整えようとした。

それにしても、池永という男は義理堅いといおうか、お人好しといおうか、

「その場でお金を突っ返せばよかったと言われても、あの頃の自分にはできませんよ。話のやりとりの中で、田中さんが困っているのはわかっていました。このままお金を突

っ返せば先輩の顔を潰すことになりますからね。八百長をするわけじゃないんだし、お金は折をみて返せばいいと思い、預かる形になってしまったんです」

池永は新聞紙に包まれた百万円を、自宅二階の押し入れの中に突っ込み、そのままにしておいたのである。これが命取りとなり、人生を大きく狂わせることになった。池永はこの時のことを、正直に調書に書いてしまったのだ。

「今さら誰を責めるわけではありませんが、なかには嘘を書いた者もいたし、自己弁護した者がいたことも事実です。そして、私の場合、『八百長をしてくれないか』と持ちかけられたのも事実ですからね」

一九七〇年五月二十五日、池永に永久失格選手処分の裁定が下された。野球協約第三百五十五条によると、八百長などの「敗退行為」の勧誘を受けた時、それをチームの責任者に通告しなければならないことになっている。さもないと「敗退行為」をする意思があったとみなされてしまう。これにひっかかったのである。池永はこの協約の規定を知らなかったが、果たして知っている選手などいたのだろうか？　今でも、知っている選手を探すほうが難しい気がする。

この時、池永の他にも二人が永久失格選手処分、三人が期限付きの出場停止、厳重戒告処分を受けた。田中は池永に八百長を持ちかけ、百万円を渡したことも認めていた。誰の目にも明らかに「敗退行為」の勧誘であるが、厳重戒告処分で済んでいる。

一方、その後の検察の調べで、池永は八百長試合、つまり賭博行為には関わっていないということで、書類送検すらされなかった。「白」だったのである。出場停止を受けた選手らは略式起訴の上、二万円の罰金を科せられたが、後にグラウンドに戻ってきている。コミッショナー裁定が、黒い霧以上に不透明な裁きだと思うのは私だけだろうか。

野球が一番好きです

私は「ドーベル」のカウンターで、グラスを片手に池永をずっと見ていた。月日の流れが、かつての大投手をスナックのマスターに変えてしまっていたが、客の向ける野球の話題には背を向けることなく、活き活きと解説していた。

池永は野球を取り上げられてからも、テレビで野球中継を楽しんでいたという。

「子供の頃から野球とはずっと関わってきましたからね。野球が一番好きですね。老婆心ながら、テレビを見ていると勝手に『あいつはこう直したらもっとよくなるな』とか思いながら見てきましたよ。マウンドに上がりたくならないかって？　いやいや、それはないですよ。もう年が年ですし、上がれないようになってしまったんですから……。そう思わないとやっていけませんよ」

そんな中、客の一人が若い連れに自慢げに話した。

「とにかく、あの頃の池永は凄かったんだから。球は速いし、コントロールはいいし」

池永は目を細めて嬉しそうに聞き流していたが、

「もう昔の話ですよ」と答えるだけだった。

自分の話になると、一転して言葉に寂しさを感じさせる。野球が心底好きだからこそ、野球の話題に対しては常に敏感に反応する一方で、球界を去らざるをえなかった無念も強烈に伝わってきた。

深夜二時過ぎ、まだ一人でカウンターに座っていた私に気を使ったのか、池永から声がかかった。

「そろそろ店を閉めますが、よければ私に付き合いませんか？」

私は池永がほとんど毎日顔を出すという小料理屋で席を並べた。池永は手酌で間断なく酒を口へと運ぶ。その異常な飲みっ振りには度肝を抜かれた。

「別に好きで飲んでるわけじゃないし、酒が美味しいと思ったこともありません。聞きたいことがあるなら聞いて下さい。もう私の野球人生は終わりましたから」

そういうと、酒をあおるペースはさらに早くなった。トイレの落書きにある池永を惜しむ声から、敢えて背を向けるかのように見えた。そこへ池永の顔見知りの客が入ってきて、私とのやりとりを聞き、口を挟んできた。

「アンタ、下関の名物ば知ってますか？」

突然のことに私が答えに窮していると、

「下関といえば、ふぐと池永正明です。よく覚えといて下さい」

池永は客を制しながらも、さらに急ピッチで酒をあおった。そうすることで自分をも制していたのかもしれない。

現在にいたっても池永は、自分一人で背負う必要のない十字架を背に、何かを庇《かば》うかのように、真実を話そうとはしない。野球が好きで、野球一筋で生きてきて、野球しか知らなかった男からボールを取り上げてしまったのはあまりにも残酷だった。

「もう終わったことですから。自分が迂闊《うかつ》で軽率だったんです。（田中への）対応の仕方が悪かった自分を責めることで解決するしかありません。二十三歳にもなって、そのくらいの対応しかできなかったんですから……。反省はしても後悔はしていません。ただ力尽きてやめたかったというのは事実ですね」

コミッショナーの裁定が下ってしまった以上、一般の裁判ではないだけに、控訴もできず、ただ従うしかなかった。プロ野球の世界から一転、社会に放り出された池永は戸惑い、生活も荒れた。

「これからどうやって生活していけばいいのか、何も考えられなかったですね。疑惑の目に囲まれた中での生活でしたから、面白くありませんでしたよ。禅寺で座禅を組んだり、ゴルフで気晴らししたり、一年九カ月も遊びましたね。契約金がまだ手元に残っていましたから、『プロ野球の金は遣ってしまえ』と。もう野球をやめてしまった以上、野球でもらったお金がまだ手元にあるというのが嫌でした。けじめをつけるという意味もありました。さすがに二年近くも働かないで遣ってばかりいると、お金はどんどんなくなっていきます。一千万円くらい残っていたころですかね、お世話になっていた方からのアドバイスを受け、中洲で水商売を始めることにしたんです」

池永の出身地は山口県豊北町という小さな漁村だ。球界を追われてからは、故郷に帰るという選択肢もあったはずである。しかし、池永は敢えて一敗地に塗《まみ》れた福岡の街から離れようとはしなかった。

「逃げたくなかった。自分は人から後ろ指をさされるようなことは一切していませんから。確かに、私の顔は、特に福岡ではたくさんの方に覚えられていて、冷たい視線を感じていましたが、その視線から逃げてしまったら負けです。後ろめたいことがあると認めることになります。それにここにはお世話になった人たちもたくさんいます。逃げ出してしまうことは簡単だけども、自分というものを、もう一度、一から見てもらいたい、『池永正明はそれほど汚い男じゃないんだぞ』という粋がった気持ちがあり、敢えて、福岡に腰を据えることにしたんです。

無我夢中でやってきましたよ。毎日、決まったように店に出て電気を点《つ》けて、客に酒を出して、一人最後に電気を消して店を閉める。不安な気持ちをいつも持ちながらも淡々とやってきましたね。トイレの落書きは消しても消しても書かれるので、もう消すこともやめました。古いのも新しいのも、毎日トイレには行きますから、すべて読ませていただいています。『すまんな、ありがとうな、また明日も来てくれよ』という気持ちです。もうここで三十年以上もやってきて、プロとしては野球よりも水商売のほうがキャリアはずっと長くなってしまいました」

それは池永にとって、不本意な引き際を強いた裁定に対する静かな抵抗でもあると同時に、彼のあまりにも早い引退を惜しみ、支えてくれた人たちへの償いだったのかもしれない。

理不尽なコミッショナー裁定に翻弄され、池永はプロの公式マウンドに立つことができなくなった。その屈辱と無念を糧に、闘いに挑んできたのである。ファンだけでなく、池永の思いも、「ドーベル」には詰まっているのである。

一九九六年八月、池永の故郷・山口県下関市の百貨店で「池永正明展」が開かれた。池永の業績を振り返る百五十点にも及ぶ写真パネルが展示された。

「下関といったらふぐと池永なんだ」

主催者が故郷の英雄の名誉回復を願って熱く語っていた。どこかで聞いたセリフだが、それだけ多くの人が、池永の早すぎる引退に、悔しい思いを抱いていたのだろう。

この年の十月には池永の母校・下関商のOB会が池永の復権を求めて九千人の署名を集め、西鉄OBの豊田泰光の手によってパ・リーグ会長に提出されている。これに先立つ十一年前の一九八五年には西鉄OB会が池永復権の嘆願書を出していた。

また一九九八年には下関市長も発起人に名前を連ねた「池永正明復権十万人署名運動実行委員会」が発足し、わずか一ヵ月余りで十八万七千人もの署名が集められ、コミッショナーに手渡されたのである。

わずかプロ生活五年と数ヵ月のキャリアしか持たない男がこんなに人を熱くしていた。これほどまでに惜しまれている人物は、どの世界を見渡してもなかなか見つからない。

しかし、これだけの盛り上がりを見せた池永復権の声をかき消すかのように、当時の川島廣守コミッショナーは一九七〇年のコミッショナー裁定を覆すことなく、池永の名誉回復の申し出を却下したのである。

池永には西鉄時代から大切にしているものがある。アメリカ製の、爪の手入れ用具一式である。つめ切り、ヤスリ、ハサミ、絆創膏を一つのセットにして缶の中にしまっている。爪が割れやすい体質の上、物凄い力を指に集中させて投げていた池永が、いつも持ち歩いていた必需品だった。それが今でも池永の手の届くところに置かれているのだ。

池永は無念を胸に抱きながらプロ野球界から身を引かざるを得なかったが、それから三十年以上、大好きな野球を忘れることなく、不器用ながらも懸命に生きてきた。それを禊《みそ》ぎとは取れないのだろうか。

四文字の毒素は抜けない

二〇〇一年、プロ野球のOBによって新リーグ、マスターズリーグが結成された。往年の名選手たちが野球を通して会得した技術・知識・精神を呼び起こし、高齢化社会への励まし、野球界の底辺の拡大と活性化、そして野球文化の普及に貢献しようというものである。五チームによるリーグ戦で、年間四十試合で争われる。

開幕戦を二日後に控えた十一月五日、池永の自宅に一本の電話が入った。声の主は、プロ野球最後のシーズンの時、西鉄の監督だった稲尾和久だった。

「開幕戦に先発しろ」

池永は開幕に先立つ三カ月前、福岡ドンタクズの選手として稲尾からマスターズリーグに誘われていたのだ。

「稲尾さんに『お前、黙って俺の言うことを聞け』と誘われたんですが、断る理由がないですからね。まさか、こういう形でまた投げられるとは思ってもいませんでした。でも、もう三十一年の間、何もしていませんでしたからね。声をかけていただいてから毎日走り込みもしましたよ」

池永の三十一年ぶりのカムバックの舞台が整った。粋な計らいを見せた稲尾は、

「池永は三十一年間、一生懸命に働いてきたんだ。もうそろそろ社会復帰のチャンスを与えてもいいのではないか。マウンドに立つことが許されるまで支えてくれた人たちへの、池永からの御礼だよ」

池永はプロのOBと野球ができる喜びを噛みしめながら、練習パートナーのいない福岡で一人黙々とトレーニングを始めた。自宅の庭で家の壁に向かってボールも投げた。

池永はマスターズリーグを単なる元プロ野球選手による親睦試合とは捉えず、現役さ

ながらの迫力で真剣に野球に取り組んでいた。

十二月二十五日福岡ドーム。

「ピッチャー、池永！」

ウグイス嬢の声に後押しされて池永が三十一年ぶりに「プロ」のマウンドに立った。背番号は現役時代と同じ「20」。伝説の豪腕がとうとう帰ってきたのだ。

「名前をコールされた時、やっぱり震えがきたね。逃げ出したいけど、呼ばれたからにはマウンドまで行くしかない、もうここまできたら投げるしかないのかって、まるで新人投手が初マウンドを踏むような緊張でしたね。

でもそこは、さすがに野球をやってきた人間ですから。いったんプレート板に足がかかると、シャキッとしました。昔といっしょでした。ただ、ボールはバッターに向かってヒョロッといくだけでしたけどね。キャッチャーまでの十八・四四メートルってあんなに長かったんですねえ。マスターズリーグでは、今の若い人たちに自分のマウンド捌《さば》きを見せたかったんです。往年のボールを見せることはできませんが、池永というピッチャーはどういうリズム、テンポ、フォームで投げていたかということを。短い野球人生でしたが、それなりに勉強したことですから」

池永は時速百十キロのボールを投げ、三回を無安打無失点に抑えた。

「冷や汗となま汗といい汗をかかせてもらいました。何か体の中の毒素が出たというか、本当にいい汗でしたね。ただ、四文字の毒素は抜けませんよ。それはもう一生抜けないんでしょうね」

四文字、すなわち〝永久失格〟のことである。池永はかつての仲間たちといい汗をかくことができたが、あくまでもその場かぎりのことでしかなかった。われに返るとその言葉が頭をもたげてくるようだ。

「四文字は自分で墓場まで持っていくことですから、人に同情を求めても何にもならない。『池永にはああいうことがあったなあ』『つまらんことをしたなあ』と、もうそれでいいんですよ。もちろん、四文字が取れるに越したことはありませんが、これまた自分の歴史であることには違いありません。そういう重荷を背負わせてもらったということは、『池永はそれくらいの重荷を担いで人生を渡らなあかんぞ』と、そう言われていると受け取っています。励み？　そうかもしれません。今さらどうすることもできないんですから」

池永はマスターズリーグに参加してから、店のコースターを変えていた。それまではずっと三歳の時の長女を描いた可愛い女の子のイラストだった。それが、ドーベルマン犬と池永の背番号だった「20」という数字、そしてボールをあしらったイラストになっていた。マスターズリーグが池永にとって、一つの区切りになったことは間違いないようだ。

「グズグズといつまでも考えているのは自分の性に合わん」とも池永は言うが、「もういい加減許していただきたい」とも言う。どちらが池永自身の本音なのだろう。私には、どちらも本音に思えてならない。池永の人生から「永久失格」の四文字を消すだけでは、あの霧に包まれた引き際に決着をつけることができるとは思えない。

池永がずっと一人で背負い続けてきた十字架は、彼だけのものではないのだろう。池永は何も語ろうとせず、「永久失格」の四文字を墓場まで持って行くという。また、池永復権を認めなかった川島は、「不名誉なことかもしれないが、時代が決めたこと」とも言う。多くのファンが、いまだに池永の「引き際」に腑に落ちないものを感じているのは、「黒い霧」の背後に隠されているものがあまりにも重いからかもしれない。真実を求める声が、いまだに池永の引き際を惜しむ声となって表れているように思えてならない。

池永の自宅は福岡市内の閑静な高級住宅街にある。小高い丘に建っている家の庭からは、街を一望できる。その庭の、きれいに刈られた芝の一部だけが、ぽっかりと円形脱毛症のようにむしりとられていて、しかも土がえぐれている。マスターズリーグのマウンドに向けて池永が毎日踏みしめていた練習の足跡であった。かなりの投げ込みをしないと絶対にできない足跡だ。

「池永さん、ここをマウンドに見立てて練習してたんですか?」

私の問いかけが届かなかったのか、池永はキャッチャーミット代わりの家の壁を無言で見つめていた。

●荒井注

「でも、忙しいのはごめんだったね」

脚本家志望のつもりが

「なんだバカヤロー！」

態度はデカかったが、誰からも愛されたお笑い芸人がいた。

荒井注。人気お笑いグループ、ザ・ドリフターズの一員だった。

芸能界というのは、その世界に足を踏み入れたことのある人でなければその本当の魅力はわからないのかもしれないが、自らすすんでやめていく芸人というのはほとんどいない。腰が曲がって同情の拍手しかもらえないのに舞台に上がり続けたり、売れなくなって週刊誌の「あの人は今？」の企画で揶揄《やゆ》されても笑ってごまかしたり、地方の場末のスナックでかつてヒットしたたった一曲だけで生活したりと、彼らの芸人であることへの執着心には感心させられる。

しかし、荒井注はそれらの芸人とはかなり違っていた。当時、爆発的人気を誇っていたドリフターズを、何の惜しげもなく、ある日突然、やめてしまったのだから。その後は申し訳程度にテレビの二時間ドラマに俳優として出演することはあったが、お笑いの世界に戻ってくることはなかった。

二〇〇〇年二月九日、荒井注はこの世を去ったが、私は雑誌の取材で荒井に会う機会を得て、隠居を決め込んだ伊豆へと足を運んだことがある。

「僕は人の前に出てやりたいなんて気持ちはちっともなかったんです。むしろ、脚本家志望でそのつもりで大学でも国文科を選んで、勉強していたんですよ。それがどこでどう間違ってしまったんですかねえ」

ドリフ世代の私にとって、荒井に対する思い入れは強く、飄々《ひょうひょう》と話す様はやっぱりあの荒井注だったことにホッとさせられた。

その半生もまた飄々としていた。荒井は学費稼ぎのために、バイトでバンドマンとしてライブハウスに出入りしていた。気がつけばそれが本職となり、やがてドリフターズのリーダーであるいかりや長介と出会うのである。

「これでも中学と高校の国語の教員免許を持っているんですよ。当時、教員は不足してひっぱりだこだったんですが、給料が安くてねえ。せこい三流バンドでもその倍は稼ぐことができたんで入り込んでしまったんですよ。ドリフはちょうどメンバーに穴があいたところで、そこに僕がたまたまいたんですよ。僕が一番年上で、加藤（茶）とは十五も違うんです。だから、彼らと同じように行動することは体力的にはきつかったねえ」

ドリフターズといえば、やはり『8時だヨ！全員集合』である。一九六九年から十六年も続いたお笑いの公開生放送番組だ。驚異的な高視聴率を維持し続けたお化け番組だったが、PTAからはワースト番組の汚名を着せられ、話題と問題に事欠かない画期的な番組だった。ドリフターズは番組の高視聴率に支えられて人気も鰻《うなぎ》登り、当時はまさに飛ぶ鳥を落とす勢いであった。

しかし、荒井は五年で番組だけでなくドリフターズからも身を引いてしまったのである。

「とにかく忙しかったよねえ。本番は土曜日なんだが、休みは日曜日だけで、月曜日からまたすぐに次の番組の準備を始めるんだ。火曜日までにスタッフらと深夜までふざけながら言いたいことを言いあって、台本のネタを探すんだよ。明け方までやることもザラだったね。台本ができたら立ち稽古、水曜と木曜に小道具を発注し、金曜にセットを作り、土曜の本番は朝十時から現場で稽古。そしたらもう本番だよ。あんなにキツイ時期はなかったね。そもそもが僕はなまけ者で、忙しくしているのは好きじゃないし、性にも合わない。だから五年といえども自分でもよくやったと思うよ」

　ただ忙しいだけじゃなかった。ケガも多かった。客から笑いをとるために、体をはったコントが少なくなかったからだ。大量の水が降ってきたり、ブリキのたらいが頭を直撃するのは当たり前の世界で、誤って水ごとバケツが落ちてくることも珍しくなかった。実際に荒井の体には縫った跡が何カ所も残っていた。常に満身創痍で仕事にのぞんでいたのだ。特に、一番年上の荒井の体にはこの〝肉弾戦〟は堪《こた》えた。とにかく、ものがあらゆるところから落ちてくる。反射神経も要求されるドリフの笑いに、荒井はすぐに限界を感じはじめていたのだ。

「楽しいことは楽しかったよね。最初は自分でも気づかなかったんだけど、人を笑わせることが好きだったんだろうね。でも、忙しいのはごめんだったね。だから、その反動からわずかな時間をみつけては、夜中でも車を飛ばしてよく釣りに行ってたんだ。気を紛らすためと、少しでも都会の喧騒から離れたかったというのが本音だね。それと人間関係かな。どんな仕事をするんでも人間との付き合いは必要なんだろうけど、随分と難しいところにいたような気がするよ」

荒井は格好つけることなく淡々と語ってくれたが、笑いを演じていたその裏では苦悩もあった。

海の匂いを嗅ぐとホッとする

「最初の女房は学生結婚でね、随分苦労させちゃったねえ。結局、肺ガンで死んじゃったんですよ。赤坂で小さいスナックをやってたんですが、体を壊して『具合悪い具合悪い』と言ってたんだ。病院に連れて行った時はもう手遅れだったんだよ。忙しくて何もしてあげられなかった……」

テレビの画面を通してはまったく感じさせなかったが、荒井は悔やんでも悔やみきれない苦い過去を背負っていたのだ。妻の死は相当に堪え、逃げるように、好きな釣りに出かけていたというが、むしろ沖でボーッとしている方が多かったという。しかし、心の傷が癒えないまま、三十二歳年下の女性と再婚した。

一年半と持たなかった。

「あの結婚は女房が死んで落ち込んでいた時に、出会い頭の交通事故にあったみたいなものだったなあ」

体力的にも精神的にも追い込まれていた荒井は、ドリフをやめたことを全く後悔していなかった。

「ドリフの十年間はそれまで怠けてきた分を、すべて詰め込んだという感じだった。だから、やめることに後悔なんてまったくなかったよね」

突然やめることに、まわりは慌てたが、荒井にしてみればドリフには十分尽くしたという気持ちがあったのだろう。口にはあまり出して言わなかったようだが、人気に引きずられることなく、自分の気持ちに忠実に従ったのだ。幸い、後釜には付き人の志村けんがおさまり、すぐに大ブレイクしたことで混乱はなかった。ただ異彩のコメディアンを失ったことは業界の痛手であったことは間違いない。

今では決して珍しくなくなったが、半ば不貞腐《ふてくさ》れて視聴者に喧嘩を売るような態度で笑いを取ることは、荒井が初めて築いた世界であり、誰からも愛されるキャラクターだっただけに、その引退を惜しむ声が多かった。

ドリフをやめて十五年、荒井は、それまで気を紛らせてくれていた伊豆に移り住んだ。

「お金と暇ができたら、こっちに来たいなあとは漠然と思っていたんですよ。お金はできなかったけど、暇はできたんでね。時々、車で東京に出かけることがあったけど、疲れますねえ。多摩川を越えて首都高速に入ると空気がいきなり変わるんですよ。排気ガスだろうねえ。六十年も住んでいたのにまったく気がつかないできていたんですね。伊豆に戻って海の匂いを嗅ぐとホッとします」

荒井はお笑いに関しては天性のものを持っていたが、まわりがそれをいくら惜しもうとも、本人はそれにはまったく無頓着を決め込んでしまったのである。誰もが足抜けできない華やかな芸能界に未練もなく、磯の香りの方に惹かれてしまったのである。

荒井はその後、伊豆の遊び仲間の娘と結婚した。三十八歳も年下であった。

「まさか許してくれるとは思わなかったよ。半ば冗談で『嫁にくんないかなあ』って言ったら、『ああいいよ』だもんね。『何寝ぼけたこと言ってるんだ』と親父に怒られるのが関の山だと思っていたのに、『当人がいいって言ったらいいんじゃない』と軽く流されてしまって、拍子抜けしたというか、親父には感心したよね」

荒井は若い女房と伊豆で穏やかに生活を続けていた。

「実はオーストラリアのゴールドコーストに家を持っているんだよ。ビザが取得できたら老後は向こうで暮らしたいね」

荒井の口からは芸能界についての話はもうまったく出てこなかった。そもそも未練がないのである。本人いうところの、なまけ者で、表に出ることが好きではなかった本来の姿に戻ったということなのか。こういう引き際もあるのだろう。

今でも荒井の人を食ったような演技と笑いを懐かしむ声は多く、テレビで昔の映像が流されると荒井の存在感がひときわ光って見えてしまう。

第六章　挑戦

「捨てる勇気があるかどうかが肝心なんです」

●小出義雄

自分がだめなら生徒がいるさ

自分の思ったとおりに人生を送っている人は一体どれぐらいいるだろうか。どんなに立派な志を持っていても、時間的制約、物理的事情、人間関係、経済状況などがままならず、結果的に、あるがままの人生に折り合いをつけ、何もできずに一生を終えてしまう人のほうが多いような気がする。しかし、その一番大きな要因は、自身の能力不足や決断力のなさにあるのだと思う。結局、夢の実現を妨げる、さまざまな障害や制約は、単なる言い訳にすぎないことのほうが多いのだ。

ここに六十代半ばにして数々の栄光を手にしながら、いまだに挑戦を続けている男がいる。小出義雄だ。一見すると、よき教え子にも恵まれ、一歩一歩着実に夢を実現してきたように見えるが、実は、引き際と挑戦との格闘の連続だった——。

二〇〇〇年、シドニー・オリンピック女子マラソンで、日本女子陸上界に初の金メダルがもたらされた。小出は高橋尚子を擁して念願の世界を制したのである。

「僕は悔しくて悔しくて堪らなかったよ。なんで日本の陸上は金メダルが取れないんだって。陸上をやっている者として本当に情けなかった。失礼かと思ったけど、陸連の偉い人をつかまえて啖呵を切ったことがある。

『金メダル取れないで悔しくないのか！　じゃあ、俺が取ってやる』とね」

小出は小さい頃から走るのが大好きな少年だった。小学生ながら、中学生をつかまえて競走をする。子供の宝物であるベーゴマを賭けることもしばしばだった。中学校入学と同時に陸上部に入り、本格的に走ることと向き合い、「このまま一生走っていたい」と思ったが、家庭がそれを許さなかった。農家の長男として生まれた小出に父親がのぞんでいたのは跡を継ぐことであり、陸上など道楽にしかうつらなかったのである。

しかし、農業高校へ進学してからも陸上を続け、千葉県内では中長距離選手として、常に上位に入賞するほどになっていた。陸上はそこまでの約束だったが、まだまだ走りたかった小出は、代々伝わる田畑を捨て、家を飛び出したのである。父親は子供の陸上に対する情熱がそれほどまでとは知らず、陸上の名門・順天堂大学に進学することを許す。

箱根駅伝では山登りの第五区を走った。東日本縦断駅伝も走った。成績はオリンピックを狙えるところまでは届かなかったが、競技者として走ることはもう十分だったはずである。だが、小出の陸上に対する野望はまだまだ始まったばかりであった。

「自分がだめなら生徒がいるさ」

小出は大学を卒業して高校の教員になるとすぐに、陸上部の顧問として腕を振るうことになる。

「ただ駆けっこをやったって、面白くもなんともない。一分一秒でも自己記録を伸ばし、試合に勝つ。どうしたら勝てるか、選手が強くなれるかって毎日考えていましたよ」

小出の夢は、日本一、そして世界に通用する選手を作ることであった。小出の大好きな駆けっこへの、本格的な挑戦が始まったのである。

小出が初めて赴任した高校は進学校で、強くて才能のある選手がなかなか入学できない状況だった。だからといって諦めないのが小出だ。小出は自ら進んで日教組に入ったのである。新米教師で体育会系で育ってきた者が本来とるべき道とは到底思えないが、陸上部強化のためのしたたかな戦略であった。

当時、組織率の高かった日教組は校長に対しても発言力が強く、学内でイニシアティブをとっていた。小出はそこに目をつけた。陸上は強いが学力においては当落線上にある生徒の入学を許可するために、日教組の力を利用することを考えたのである。

「県庁前で最前列に陣取ってシュプレヒコールをやりましたよ。エイエイオーってね。そんな僕の行動力が評価されて、日教組の先生方が僕が欲しかった強い選手が入学する後押しをしてくれたんです。僕が推薦して入学した選手は期待どおりに育ってくれ、インターハイでも勝ちましたよ。勉強はうしろで入ったんですが、卒業する時は上位でしたね。人間、頑張れば何だってできないことはないんですよ」

挑戦はまだ始まったばかりである。

市立船橋高校に転勤になった小出は大きな勲章を手にすることになる。全国高校駅伝で最高記録を出して優勝したのである。

しかし、小出の頭の中では優勝の喜びは一瞬だけで、次なる目標をすでにもう睨んでいたのであった。

女であった。

「僕はそれまでずっと男子ばかりを見てきていたんです。女子は前任の佐倉高校の時に一度指導したきりでした。一九八二年にその子が、当時日本の女子マラソンの第一人者だった増田明美と走って、日本歴代二位となる二時間四十一分三十三秒で走ったんです。まったく無名の選手で、最初は二百メートルを走らせると、四十五秒もかかっていた子がですよ。僕はその時に『本格的に女子を指導したら世界一になれるかもしれない』と思いました。世界と日本とはまだ六〜七分は開いていましたが、高校生でここまでやれるんだから、真剣に取り組んでやったら……。僕には確かに世界が見えてきたんです」

この頃から小出は女性の研究を始める。そもそもが保健体育の教員ということもあり、ある程度の知識はすでに持ち合わせてはいた。ところが、いざ女子を指導するとなると、男子とは体の構造も違い、トレーニング方法もいっしょというわけにはいかない。選手は異性であり、接し方も大きな問題だった。メンタル面から生理の問題にいたるまで、考えなければならないことは山ほどあったが、女性ランナーの能力を引き出すための小出の次なる挑戦が始まろうとしていた。

すでに陸上競技の指導者として小出の名声は全国に知れ渡るようになっていたが、小出はそんな程度では満足していなかった。

人間不信に陥ったことも

「男子では世界は無理だ。女子なら今からでも金メダルには十分に間に合う。ケニアもエチオピアも幸いなことにまだ女子マラソンと取り組んでいない。ヨシッ、決めた！」

こうと決めたら小出の動きは早い。しかも、一度決めたことに対しては頑固なまでにこだわるのだ。二十三年間務めてきた高校教員を辞めることにも迷いはなかった。

「辞めるって言ったら、みんな同じことを言ってきたよ。

『小出さん、もうちょっと我慢してやった方が得だよ。今辞めたら退職金も少ないし、恩給もあんまりつかないよ』だって。

『いや、でも辞める。俺は金メダルを取るんだから』と言い返したよ。そしたら、『退職金もらえるだけもらってからでも、金メダルは遅くないよ』ときたもんだ。まあ、心配してくれるのはありがたいが、そんな考え方では金メダルは絶対に取れないよ。

僕はあの時、四十八歳だよ。人間は五十を過ぎたら体力はなくなっていく。もう六十になったら落ちてきた坂を上っていくのは容易じゃないよ。体力がなくなると気力がなくなる。気力がなくなったらどうなるか？　勝ちたいという意欲があっても妥協しちゃう。まあ三番でもいいか、オリンピックに行ければいいか、で終わっちゃうんだ。そうじゃないんだ。お金もたしかに大事だけども、今辞めなくちゃあ金メダルは取れないんだって」

お金と金メダル、価値観の違いもあったろうが、小出の説明を理解できる者はほとんどいなかった。現実味のない話として相手にされていなかったのである。

「チャンスだったんですよ。退職金のためにあと五年やっていたら、シドニーでは金はなかったよね。まだメダルの取り方すら半分しかわかっていなかったと思うよ。バルセロナ（有森裕子で銀メダル）、アトランタ（有森で銅）を経験して、やっと三回目のシドニーで自信を持ってどうすればいいのかわかって、初めて金メダルにつながったんだからね。だから、人間は判断と決断を誤ったら、取り返しのつかないことになるんですよ。せっかく金メダルを取れるというのに銅メダルで終わってしまうんだよ。そこが人間の運命の分かれ目だと思うね」

このあたりに、常人には計り知れない勝負師の引き際の秘訣があるのかもしれない。勝負は急ぎすぎても、待ちすぎても勝てない。チャンスを摑んだら、迷うことなく行動に打って出る。そのタイミングがピタリと当たれば大きな仕事となる。だが、外れることもある。ほとんどがそうかもしれない。博打である。

「博打は博打でもきちんと計算された博打はそう簡単には負けません。その前に捨てる勇気があるかどうかが肝心なんです。それができる人はそうはいないはずです」

小出は引き際と挑戦を表裏一体のものと考えていた。

教員を捨てた小出は、陸上だけに打ち込める環境を求めて、実業団の監督に転身することになった。もちろん、すべては金メダルのためである。

小出はその決心をジャージにまで求めていた。上から下まで金色であつらえたのだ。

「女房に言われたよ、『いっそのこと、頭も金髪にしたら』とね。その時、そうしてたら、僕が金髪ブームの火付け役になっていたのかもしれないね」

小出を監督に迎え入れた最初の実業団チームは、

「小出さんには一生陸上部の監督をやっていただきます」

本格的な金メダルへの挑戦がスタートしたのだ。小出が張り切らないわけがなかった。

当時、資金力のあったその会社は、全国どこへでも、小出ののぞみどおりの合宿をするために、バックアップを惜しまなかった。高橋尚子が大きな試合の前には必ず行く米コロラド州ボルダーの合宿もこの時から始まったものである。さらに、バルセロナ・オリンピック後には有森の銀メダルに気をよくしてか、小出の自宅のある千葉県佐倉市に五十億円をかけて合宿所まで建設したのだ。

あとは小出の吹く笛に選手が上手に踊ってくれるかどうかである。

しかし、好事魔多しである。小出にセクハラ疑惑が持ち上がった。

バルセロナでは有森が活躍し、彼女を凌《しの》ぐ勢いで実力をつけていた鈴木博美や世界一を予感させた高橋尚子が頭角を現わし、いよいよ金メダルに王手がかかりかけていた矢先のことであった。

「あの時は本当に人間不信に陥りましたよ。監督に立候補するコーチや、勝手に筋肉トレーニングをさせて選手の気を惹こうとする若いスタッフやらが、自分の城を持ちたくなったんだね。男は三十歳を超えると誰でもそういう気持ちになることはわかるが、やり方が汚いよ。陸上を知らない会社のお偉いさんまでが会社ぐるみで僕を追い出しにかかったんですよ。その罠《わな》がセクハラ疑惑です。

ある女の子が『小出さんにセクハラされましたと、みんなの前で言え』と言われましたって。泣きながら僕のところに来て真相がわかったよ。もう済んでしまったことだからいいけど、呆れ返ったよ。

僕はそれまで仕事らしい仕事ってしたことがなかった。陸上だけしか知らないできたんです。学校に勤めていたといっても、教員より陸上の方が楽しくて、陸上を教えに行ってたんだからね。そんな社会に免疫を持たない僕が、会社、組織というところのいやらしさをまざまざと見せつけられました。かえって、どんなにお金を出しても買うことのできない経験をさせてもらったと思っています」

お互いの信頼がなくなった以上、長居は無用である。金メダルを取るために教員をやめてまで飛び込んだ実業団なのに、余計なことに時間も気力も取られるのは、小出にとっては馬鹿馬鹿しいことだった。また、自分に残されている気力・体力の余裕もそうあるわけではないことを、小出は承知していた。

三つのことがクリアできれば

捨てる神あれば拾う神あり。小出という男に惹きつけられた別の実業団があった。小出は会社組織のゴタゴタに巻き込まれて嫌な思いをしていたが、かといってスポンサーなしで選手を育てられるかといえば、そうはいかない。金メダルのためには我慢するところは我慢しなければと、不安を抱えながらもその会社にお世話になることにしたのである。ここでの経験が後に「佐倉アスリート倶楽部」、つまり小出のランニングのための私塾を生み出す原因にもなった。鈴木博美、高橋尚子も小出を追ってきた。

小出がチームを移ったその年の世界陸上選手権アテネ大会・女子マラソンで、鈴木博美が金メダルを取った。初めての世界一である。しかし、小出の頭の中にある世界一は、オリンピックの金メダルだけだった。挑戦はまだまだ終わらないが、そこへ到達するまでの入口は間違いなく見えていたのである。

「金メダルのためには、三つのことがクリアできれば取れるという自信がありました。一つは栄養のあるものをバランスよくたくさん食べること。二つ目は質・量ともに世界一の練習をすること。そして三つ目は十分に睡眠をとることです。簡単なことのようにみえて、これがなかなかできないんですよ」

小出は小さい頃からの駆けっこを含めると、陸上にはもうかれこれ六十年近く関わってきたことになる。選手としてはもちろんのこと、指導者になってからも、いい思い出よりも失敗の数のほうが圧倒的に多かったという。いまだに新しい失敗があり、陸上は何十年やっても奥が深いというのだ。その一つ一つの経験をクリアしての結論が、この三つに集約されていた。特に、睡眠である。

「アトランタでいい経験をさせてもらったんです。アクセスがいいということで、街の真ん中に宿舎を構えたんです。ところが、夜になると花火は上がるし、車やオートバイの騒音で寝られたものじゃなかった。有森の体調は睡眠不足のために、微妙におかしくなっていったんですよ。この時の経験がシドニーで活かされることになったんです」

小出は高橋尚子を擁してシドニーを目指していた。高橋は走るたびに記録を更新し、国民の期待は高まるばかりだった。が、順調と思っていた高橋がオリンピックの前哨戦ともいえる一九九九年、セビリアで行われた世界選手権を故障で欠場してしまった。

「いろいろ原因は考えられたんですが、僕は睡眠を十分にとれていなかったことが大きかったと思いました。ボルダーで合宿所として会社が借りてくれていたアパートはエアコンがなく、虫も出ました。体中が痒《かゆ》くて高橋は十分な睡眠がとれずに悩まされていたんです。そういうところから体調は崩れていくものなんです。アトランタの有森の例もあり、僕は快適な睡眠を得るためにボルダーで家を買うことにしたんです。会社がそこまでお金を出してくれるわけはありませんからね」

米コロラド州ボルダーという町は、治安がよく、年間三百日以上晴天が続き、豊かな自然にも恵まれ、全米の住みたい町ランキングでは常にシアトルと人気を二分していた。当然、土地代も高騰するばかりだった。

それでも小出は決めるが早いかすぐにボルダーで物件を漁《あさ》っていたのである。

快適な睡眠の代価は七千五百万円だった。

「女房には相談もせずに、佐倉の家を担保にして銀行から金を借りましたよ。『ローンは組まない、現金でなければ売らない』というから仕方ない。あとで担保の見積もりのために家に測量士が来たんですが、そのとき女房は初めて知ったんです。びっくりしていましたが、『旦那の金メダルのため』と思って納得してくれましたよ。

女房にはこう言ったんです。

『愛人つくって、マンション買って囲ったら一億はかかるんだぞ。それに比べたら安いもんじゃないか』とね。半ば呆れてもいたかなあ。

とにかく僕は、家屋敷よりも女房よりも、野垂れ死んでもいいから金メダルを取りたかったんですよ。もうここまできたら執念です。この気持ちは今でも変わっていませんね」

小出は頭の中で思い描いていた。高橋には二階の北側の大きな部屋がいいだろう。北側は昔から勉強部屋、子供部屋といって、安心してゆっくり休め、集中できる部屋といわれている。よしそうしようと。

「ここに越してから高橋は、朝二階から『おはようございます』と、ニコニコして降りてくる。『監督、ぐっすり眠れます』というのを聞いて、金メダルを確信しましたよ」

これで小出の掲げる金メダルのための三つの条件の一つは完全にクリアできたことになる。食べ物に関しても、合宿所にはお米から味噌まで何でも日本から持ち込み、栄養士によるバランスのとれた和食が用意されていた。高橋は好き嫌いがなく、栄養面での心配はなかった。あとは世界一の練習である。

「高橋が女子マラソンの金メダル最有力候補として注目を集めてからは、みんな随分と勝手なことを言ってきましたよ。

僕はシドニーの高低差の激しいコースを攻略するために、標高千六百メートルのボルダーから、さらに空気の薄い三千五百メートルまで上がったんです。じっとしていても、酸素が少ない分呼吸は荒くなります。ここで僕は高橋に二十四キロ上りっぱなしの練習をさせたんですよ。そうしたら高橋を知らない、練習も見たこともない人たちからアドバイスのつもりなのか『無謀だ』とファクスが届きました。余計なお世話ですよ。たしかに、きつい練習ではありますが、金メダルのためなんです。高橋も僕を信じて練習についてきてくれましたよ。ここまでの練習は世界中どこを探しても高橋しかやっていません。だから、高橋は勝てたんですよ」

高橋尚子はたしかに金メダルを胸にした。

十二年前に「金メダルを取る」といって、教員を辞めていった小出。当時は大風呂敷を広げた、佐倉のドン・キホーテにしか思われていなかったが、有言実行、夢を現実のものとしたのである。

「いろんなことを言われてきましたよ、ああしろこうしろ、それはだめだこれはいいって。でも、判断を誤ってはいかん。決めるのはあくまでも自分であって、人に流されるような人生では情けないよ。自分のやることも自分で決められないようでは、先祖に申し訳がたたないよ。だいたい僕も罰当たりで、もう十数年、お盆の季節はアメリカで合宿をやってきたもんだから、お墓の掃除は人任せで何もしないできたんだ。でも、その分頑張って結果を出したわけだから、先祖も許してくれるとは思うがね」

小出は毎年のお盆の義理は果たしてこなかったが、陸上にひたむきに打ち込み、公約どおり金メダルを手にしたのだ。

人はいったん栄光に浴してしまうと、居心地がいいのか、そこからなかなか脱しきれず、たとえ次の目標に向かい始めても、その動きは緩慢になりがちである。が……。

小出は新たな挑戦に向けて、また歩き出していた。

面白くなければ、さっさと辞める

「やっぱり企業にお世話になっていたら、組織の制約があって思ったことができません。僕は高橋が金メダルをとったことで、マラソンをもっともっと普及させ、選手の待遇を改善し、子供たちに『野球やサッカーだけでなく、陸上でも頑張ればこれだけいいことがあるんだぞ』と、夢を膨らませてあげたいんですよ。金メダルをとっても『よく頑張った』のひと言と、陸連からもらうわずかな報奨金だけでは寂しいですよ。だから、僕は有森の時から、陸上のプロ化を進めてきたんです。そのためには会社にいたらむずかしい。選手は会社から給料をもらっているわけですから、どうしても会社の利益を優先した形での活動になってしまいます。たとえば、僕も高橋もシドニー後は取材や講演などたくさんの依頼をいただきました。会社にいると、そういう活動もある程度の制約を受けることになり、陸上を広めたい、子供たちに夢を与えたいということがむずかしくなってくるんですよ。

これは僕の基本的な考え方なんですが、いくらお世話になっていようとも、面白くないと思ったら、いつまでもそこにいることはなく、さっさと辞めて行きたいところに行ったほうがいい。だから、女房にも言ってるんです。『俺を嫌いになったらすぐ別れた方がいい。嫌いな奴と一緒にいるほどつまんないことはないんだからな』」

その言葉どおり、小出はシドニー・オリンピックの二年後、企業丸抱えの実業団チームを辞めた。自らが代表を務める「佐倉アスリート倶楽部」での指導に専念するためだ。目標を実現するために、常に最善の道を模索し、辞めることを厭《いと》わない。小出はこれまでにもその時々の置かれた立場を、思いきって捨てることで環境を整え、挑戦を続けてきた。

教員を辞める時は、あと数年勤めあげればもっともらえるはずだった退職金と恩給(年金)を犠牲にした。実業団の時はスキャンダルに巻き込まれ、会社組織に真正面からぶつかって社会的に孤立しかかった。そして、組織の論理に馴染めず、再挑戦を決意した。

小出が教員を辞めたのは、四十八歳の時である。高橋が金メダルをとったときは、すでに還暦を過ぎていた。

面白くないと思ったら、さっさと辞める――。言うのは簡単だが、そう簡単に実行できるものではない。辞めるということは、経済的にも社会的にも大きなリスクを負うことである。にもかかわらず、このリスクを糧にして次へのステップを踏んだところが小出の小出たる所以であるのだが、

「ただ、僕みたいな性格の男は、『陸上はやめた、もうここまで』と決めたら、ピタッと辞めますよ。情熱がなくなった時は、『次はお前が金メダルをとる番だ』と自分は潔く身をひかなくちゃあいかん。

完全燃焼？　いや僕はそこまではやらないと思う。あくまでも情熱が大事で、情熱を持ち続けていれば、結果的に完全燃焼に近い形にはなるかもしれないけども、いずれにしろ、あくまでも決めるのは自分自身の責任だよ」

自らの意思と手により「佐倉アスリート倶楽部」を作った小出は、人生の第四コーナ

ーをまわって、いよいよ最後の直線に入ったのだろうか。

「いや、まだまだ僕には夢がいっぱいあるんです。やりたいことが残っているんです。僕は実に欲が深いんですよ」

これまでに何度も、自ら引き際を作りだし、それを合図に新しい目標に挑戦してきた小出だが、まだこれからも、挑戦するための引き際があるようだ。

二〇〇四年三月十五日、日本中が驚いた。夏に控えたアテネ・オリンピック女子マラソンの日本代表の選考から、高橋尚子が漏れたのである。高橋で五輪二連覇を目論んでいた小出にとっては「まさか！」であった。

大きな挑戦を前にして梯子《はしご》を外された形になってしまった。

「何もオリンピックはアテネで最後じゃない。来年には世界選手権だってあるし、世界最高記録を目指したっていいじゃないか。それと僕には大きな夢の一つとして『銀座マラソン』構想があるんだ。大都会のド真ん中で二万人ものランナーが走るなんてのはどうですか？　面白いぞ。残念ながら、アテネ・オリンピックは諦めざるをえないけども、まだまだ挑戦することは尽きないですよ」

第七章　晩節

人の評価を分けるものは何だろうか。

これまで、引き際が潔かった人たちを見てきたが、彼らに共通するのは、迷いがないことではないだろうか。長い一生の中で、何かを成し遂げるには、並大抵の苦労ではないだろう。苦労が多ければ多いほど、自負も大きくなり、後に続く人たちが不甲斐《ふがい》なく見える。すると、今の地位に未練が生まれ、権力に執着し、周りが見えなくなって独善に陥る……。

「自分はそんなことない、引き際ぐらいちゃんと見極められる」と思うかもしれないが、もしかしたら、そう思った時点で、すでに引き際を飾るタイミングとしては遅いのかもしれない。

多くの晩節を見ていると、そんな気がしてならない。

権力の座にいる人たちは、特に晩年の過ごし方が難しいようだ。苦労して上りつめた地位だからこそ、なかなかそこから下りられないのもわかる気がする。もちろん、居心地もいいのであろう。ただ、居座るのもほどほどにして、驕ることなく権力と付き合っていくことができれば、歴史に名を残せるかもしれない。が、その居心地のよさに甘んじておぼれてしまうと、ただの人以下になりかねない。この権力という魔物に取り憑《つ》かれ、翻弄される人は、昔も今も変わりなくいるように思う。

特に、二ケタの当選回数を誇る政治家ともなると、腰がだいぶ重たくなってしまうらしい。なかなか地盤の選挙区から離れられず、後に控える人に道を譲ってくれない。老害などと後ろ指をさされる頃には、開き直り、聞く耳を持たなくなってしまい、せっかくそれまで築いてきた業績が泣いてしまう。

自民党では国会議員に定年制を導入したが、かつての首相経験者二人を引退させるのに随分と手こずっていた。もし、自民党があのまま何の対策も取らなければ、両巨頭は死ぬまで議員をまっとうするつもりだったのだろうか。というより、自分から幕を引くという、潔い姿を見ることができたのだろうか。

政治家の場合、健康で、時代の流れを敏感に摑み取り、柔軟な発想で国政をリードしていける人物ならば、年齢は不問にしてもいいとは思う。が、現実には、それを許してしまうと誰も辞めなくなりそうで怖い。

内閣総理大臣のプライド

脳梗塞で倒れ、選挙運動すらできない体になりながらも、しばらく衆議院に議席を保持し続けていたのは田中角栄だった。

彼の功罪をここでは敢えて問わない。が、ダミ声高らかに自信に満ち溢れた一九七〇年代の平民宰相・田中を思うと、その晩年は実に寂しいものであった。健康上の理由から、自らの意思で適切な決断を下すことができなかったこともあろうが、それ以前に田中には、身から出た錆《さび》を最小限に食い止めるチャンスが幾度もあったはずである。

金脈問題発覚、総理辞職、ロッキード事件での逮捕、一審有罪判決など、引き際の選択肢は、間違いなくあったはずだ。いずれかの局面で、潔く引き際を飾っていれば、後の竹下登ら腹心による〝謀叛《むほん》〟にあうこともなく、隠居をしたところで、政界に隠然たる影響力を及ぼし続けることができたのではなかろうか。

しかし、田中はいずれの引き際の機会も見送ってしまったのだ。

「オヤジ（＝田中）は最後まで、辞めるつもりはまったくなかったよ。『なぜ俺が辞めなければならないんだ！　総理大臣の肩書きをもらった人間としてはまったく受け入れられない話だ。だいいち、辞めろというのは総理大臣の名に対する侮辱以外の何物でもない』

そう言って毅然としていたよ」

側近の証言である。

ロッキード裁判の一審で有罪判決が下され、中曽根総理が田中に議員辞職を迫った時も、

「なぜ俺が辞めなければならないんだ！」

と、頑として受け付けなかった。

その中曽根が後に、党の七十三歳議員定年制により、小泉総理に引退を促されるというのも皮肉な話である。

田中は裁判で無罪を主張して闘っていたわけだから、もちろん罪の意識はなかったのだろう。それよりも田中にとっては、内閣総理大臣であったことのプライドの方が、常

に先んじていたのである。

「場合によっては俺にもまだ出番はある」

そう信じて疑ってもいなかったという。

有罪判決が出てからも田中派の表札は依然、田中角栄のままだった。数の上でも圧倒的優位を誇り、竹下登を筆頭に実力者揃いだというのに、田中派は主の手前、独自の総裁候補を立てられないでいた。それが、「このままでは……」という危機感を煽《あお》り、創政会を生む土壌を育んでいったのである。

「当時の田中派は〝円心円〟状態だった。大きな田中派という円の中に創政会という小さな円があったんだ。オヤジは中の円を潰してしまうことなどわけはないと思っていたんだが、世代交代の波は止められなかったということだな」（前出・側近）

創政会を立ち上げた竹下以下七奉行と呼ばれた実力者たちにしても、田中の寝首を掻くつもりなど毛頭なかったはずだ。

「もうオヤジには総理の椅子は回ってこないよ」

たしなめてみたところで田中は聞く耳を持たないわけだから、竹下らは派閥を発展させていくためにも新しい看板を掲げるしかなかったのだ。

しかし、それが田中には謀叛にうつった。彼らをわが子同然に可愛がってきただけに「まさか」の気持ちは強かったのだ。

田中にとっては足元を掬《すく》われたという思いが増幅するばかりで、それこそが悲劇の始まりでもあった。やり場のない怒りを、毎日オールドパーを浴びるように飲むことでしか、紛らわせることができなかったのだ。ただ、それはいたずらに体を蝕《むしば》むだけにすぎなかった。

一九八五年二月二十五日、七奉行の一人、羽田孜《つとむ》のパーティーで田中がマイクを握った。

「神様に召される時は召されるものだ」

世代交代を拒むかのような、得意のフレーズを一席ぶったその二日後、倒れたのである。以後、田中は自らの意思を表現できるまでには回復しなかった。

結局、首相の犯罪は、被告人死亡のため公訴棄却となり、最高裁の判決を待つことなく結審する。

「最高裁でどういう判決が下ろうとも、それまで頑張って欲しかった。それがオヤジにとってもけじめであったはずなんだ。無念だったたと思う……」(前出・側近)

田中は自ら引き際を飾ることなく帰らぬ人となった。田中にとっては総理大臣の肩書きを持った者のプライドとして、最高裁で無罪を勝ち取ることをけじめと考えたのか。負けたときが引き際だったのか。このことは後世、田中角栄という人物が語られていく上で重要なポイントになるように思う。

というのは、「田中角栄といえば?」と、旧新潟三区以外の人に問えば、ほとんどがロッキード事件、金権政治、地元への利益誘導といった、否定的な答えが返ってくるのは想像にかたくない。一方、彼が首相として残した業績、たとえば日中国交正常化をいの一番に挙げる人はどれくらいいるだろうか。「そういえば」と思い出される程度ならば、一時代をなした政治家としては、あまりにも悲しい。

苦労して叩き上げて一時は日本のトップにまで上りつめた意地と、仲間の「謀叛」に対する怨念が、田中に最後の判断を誤らせてしまったのだろうか。

残念ながら、田中にかぎらずスキャンダルの矢面《やおもて》に立たされた政治家たちの身の処し方については、そのほとんどに疑問が残るのではないか。居直りと開き直りに終始し、自分の厚顔無恥に気がつかなくなってしまってからでは遅いのだ。

自民党の山崎拓を、二〇〇三年十一月の総選挙で破った古賀潤一郎。さわやかなイメージで颯爽と国政の場に登場し、大いに期待を抱かせてくれたが、学歴詐称が発覚して自らの出処進退を問われた。

確かに、学歴を詐称したか否かということも、その責任についてどう考えているのかという点も重要なことだろう。しかし、ここで私が問いたいのは、古賀の身の処し方なのである。政治家としてというよりは、まず何よりも男として、引き際に対する矜持《きょうじ》があったのだろうか。

彼は、当選後初の国会が開幕した大事な時に、自分の目で卒業の事実を確かめるために、件《くだん》の大学まで飛んで行ってしまった。

卒業が確認できないと、今度は、「議会の合間を縫ってでも卒業する」「議員報酬の受け取りを辞退する」と言ってみたけれど、これは法的に認められないことのようで、恥の上塗りとなってしまった。

さて、彼を当選させた福岡二区の有権者たちは、どんな思いで彼の行動を眺めていたのだろうか。

誇るべきことであっても、恥じることは何もない

日本初の女性党首で、一九八九年の参議院議員選挙でマドンナ旋風を巻き起こし、衆議院議長も務めた土井たか子。「おたかさんブーム」を作り、まさに我が世の春を謳歌したこともあったが、政治改革が旗印、自民党を金権腐敗体質と糾弾して威勢のよかったのは、いつ頃までだっただろうか。

鈴木宗男問題を激しく追及していた辻元清美に、秘書給与流用疑惑が持ち上がり、それを指南したのが、土井の分身ともいわれた五島昌子秘書だった。

「秘書が勝手にやったこと」とは、聞き慣れた自民党議員の言い訳だが、この件で、土井は知らぬ存ぜぬで押し通し、党首としての責任を曖昧にしてしまった。さすがに、地元選挙民も呆れたのか、その後に行われた総選挙では絶対的強さを誇っていた小選挙区

で負け、比例区でかろうじて救われた。だが、今や土井どころか、党そのものが存続の危機に立たされている。さすがに責任を感じたのか、党首は下りたが、もはやかつての面影はない。結局土井は、かつての政敵が連発していた「秘書が、秘書が」の見苦しい言い訳を、他山の石とすることはできなかった。

実に四十年以上も君臨していた共産党の宮本顕治。自ら作り上げた政党とはいえ、オーナー会社でもこれほどの長きにわたって社長を務める人はそう見かけない。だいたい、どんな組織においても、業績の向上をはかるためには、人員配置に気を配って風通しをよくし、絶えず組織の活性化をはかりながら、新しい人材の育成も怠らないことが不可欠と言われる。要は人間と同じで、新陳代謝が大事ということだが、それができないと、徐々に屋台骨が蝕まれ、組織は弱体化してしまう。そして、組織の新陳代謝において一番大事なのは、トップの交代がスムーズにいっているかどうかではないか。その点、共産党という組織は、この原則から大きく外れていた。「革新」の看板を掲げながら、党の顔は、ずっと「保守」され続けていたのだから、皮肉な感じがする。

宮本は、名誉役員の制度を設けた一九七〇年の書記長時代、先を見越してこう言っていたという。

「戦前の共産党なら、このような制度は考えなくても弾圧でどんどん交代していくものだったけど、これから党が長く発展していくには、高齢や病弱になった人を処遇し、息の長い活動を保証する必要がある」

まさに、高齢化社会を予見したかのようなご意見で、もし、共産党が政権を握っていたら、日本は高齢者の天国だったかもしれない。

一九九四年、宮本は一過性脳虚血発作で倒れ、以後、入退院を繰り返した。が、引退が囁かれながらも、議長職に再選され続けてきた。

理由は、「余人をもって代え難いから」。

宮本の存在は、外の者にはわからぬほど絶対的なようである。宮本は倒れた年の翌年、党の機関紙『赤旗』の新春インタビューでこう語っていた。

「ときどき、『いつまでやるつもりか』とか、それに類する質問を受けます。だいたい質問の終わりの方ですが（笑い）。私の本心をいうと、『誇るべきことであっても、恥じることは何もない』ということです。今日の回答としては、人間の長寿は『社会における人間の役割の向上』として理解すべきが本当であって、その点では、まさしくそうだ、ということを、いまでも胸をはっていいたいと思うわけです」

何度も言うが、別に年を取っていることが悪いわけではない。ただ、この宮本の晩節を、一組織の長の在り方として、どう考えるかだ。

不破哲三、志位和夫の大幹部が二人揃って、宮本自身の口から「引退」の二文字が出るまで、何度も自宅を訪ねたという。

結局、高齢を理由に本人が引退を申し出て、ようやく宮本の議長引退が認められた。その後の共産党は自衛隊の存在を認めることを綱領に盛り込むなど、柔軟な政治姿勢を見せるようにはなったが、宮本の晩節をめぐる迷走が、少なくとも共産党を一歩も二歩も、時代から取り残す結果となったような気がしてならない。

タイミングが難しい

日本水泳連盟の会長を十八年間も務めた古橋広之進。一九四九年、ロサンゼルスで行われた全米選手権で、四百メートル、千五百メートル自由形など、出場した四種目すべてを世界新記録で制した。アメリカの新聞に「フジヤマのトビウオ」と絶賛され、敗戦から立ち直ろうとしていた日本人の星、国民的英雄となった名選手だ。最近まで、日本水泳連盟会長だけでなく、ＪＯＣの会長も九年間務めていた。

業界の集まり以外では、一般の人の前にはほとんど姿を見せなかったが、シドニー・オリンピック代表選考をめぐる、千葉すずの処遇で久々に姿を現わした。年配の方々にとっては懐かしかったかもしれないが、かつてのトビウオも、「老害」の象徴として、ブーイングの対象でしかなかった。勇退後の日本水泳界に、入れ替わるように北島康介をはじめとした若い選手がたくさん出てきたのは偶然だろうか。

私は野球が大好きで、昔からの大の巨人ファンだったが、どうも最近、日本のプロ野球がつまらない。巨人の応援にも熱が入らない。選手たちはみな一生懸命にプレーしているのはわかるのだが……。

その理由を考えたとき、かつて阪神でプレーしていた江本孟紀の「ベンチがアホやから野球ができん」という言葉とともに、ある一人の男の顔が浮かんできた。読売新聞グループ本社代表取締役会長・主筆で巨人軍オーナーの渡辺恒雄である。

オーナーというぐらいだから、確かに巨人軍は、彼のものなのだろう。しかし、ファンあってのプロ野球である。それに、実際にプレーをしているのは選手であり、試合の采配は監督の仕事だ。年間百四十試合もある中で、勝った負けたに一喜一憂し、そのたびに小言を言われては、選手も監督も萎縮してしまう。これでは好プレーも好采配も、期待するほうが気の毒な話である。

ファンとしては自分の応援するチームが強くなるのは歓迎なのだが、生え抜きが育っていくのを見守るというのも、野球を見る楽しみの一つ。あっちこっちから大枚をはたいて有力選手を集め、「勝って当たり前」と言われる戦力で優勝しても、いまひとつ素直に喜べないのも事実である。

オーナーなのだから、一つの失投や拙策にいちいち目くじらを立てずに、東京ドームの貴賓席で生ビールでも飲みながら、ファンといっしょに、若手選手の成長に目を細めたり、相手選手の好プレーにも立ち上がって拍手したりするくらいの広い心で、野球を楽しめないものだろうか。

そもそも、顧問だとか、名誉会長、相談役など、日本の会社には余計な肩書きが多過ぎる気がする。公益法人や特殊法人もそうだ。現役を退いた経営者や、天下り官僚の受け皿になっているだけにすぎないのだが、彼らはその報酬に見合った仕事をしているのだろうか。そもそも、本当に必要なのかどうかすら、いまひとつよくわからない。役員同様に高い給料までもらっている相談役などというポストは、世界中どこを探しても日本だけじゃないのか。専用個室、専属運転手に秘書までついて出社は自由、そんな会社がまだあるらしいから驚きである。

渡辺に限らず、顧問、名誉会長などの地位に登り詰めた人たちは、その会社の中興の祖だったり、かつて大きな貢献をしてきた方々なのだろう。渡辺にしても、記者としては相当優秀だったという話を耳にする。

彼らに対しては、礼を尽くし、敬意を表しなければならないのは当然のことだが、修羅場をくぐってきた分だけ、自らの生き方に自信を持っているのだろう。決してそれが悪いとは思わないが、そこに引き際のタイミングを狂わせてしまう原因が潜んでいるのではないだろうか。

そういう意味では、三越の坂倉芳明もその一人であったかもしれない。

坂倉が三越に入社したのは一九四六年だった。将来の社長候補として出世街道を順調に歩んでいたが、あの岡田茂が社長として君臨していた。一九七三年、坂倉は岡田に半ば追放されるように退社を余儀なくされた。

しかし、捨てる神あれば拾う神あり。坂倉は堤清二に手腕を買われて西武百貨店に入る。古巣・三越本店を抜いて、西武池袋店を売り上げ日本一に押し上げるなど、実力をいかんなく発揮し、社長にまで就任する。三越をほしいままにしていた岡田が「なぜだ！」の言葉を残して失脚すると、その二年後の一九八四年、坂倉は古巣の再建のために呼び戻されたのである。

臥薪嘗胆《がしんしょうたん》、坂倉にとっては紆余《うよ》曲折があったものの、専務を経た一九八六年、遅まきながら社長に就いたのだ。六十四歳になっていた。サラリーマンとしては、人生最良の日ではなかったか。普通はハッピーエンドで、悠々自適の老後が待っていそうな雰囲気なのだが、一度〝死んだ〟人間の逞《たく》しさが悪い方向に進んでしまったのか、坂倉にも罠が待っていた。西武から三越に出戻ってから十三年後、会長となっていた坂倉は、バブル期のゴルフ場開発の失敗で約四百五十億円の特別損失を計上し、決算では三百億円以上の赤字を生み出してしまった。三越創業以来最悪の数字だった。

結局、坂倉は引責辞任した。三越に復権できた喜びを謙虚に噛みしめることができず、そのまま調子にのってバブルにまで浮かれてしまったのだろうか。起死回生の人生として日本の流通史に名前が残ったかもしれないのに、あらためて、引き際の難しさを教えてくれている気がする。

こうして見てきて思うのは、人生の選択の難しさである。

政財界のように肩書きのある世界は、引き際のタイミングが非常に難しい。どこか株の取り引きに似ている気がする。

「売ろうか売るまいか？　いや、もう少し値上がりするのを待ってみよう」

などと思っているうちに株は下がり、売り時を逃して、結局損をしてしまうという話は少なくない。

「もう俺は潮時だ。ここいらで辞めて後進に道を譲ろう」

トップの人間が、そういう仏心を起こすのはかなりの晩年にさしかかった時である。本田宗一郎や藤澤武夫のように、スパッとはいかない。それが権力欲なのか、凡人の悲しさなのか。

一方、スポーツの世界で生きている選手の晩節は、どこで線引きをしようとも不快感はない。体がボロボロになってまで闘う姿は、往年の姿とダブらせて見てしまうと寂しさを感じるかもしれないが、ひたむきに汗を流す人には心を揺さぶられてしまう。

最後に、ジャイアント馬場について語りたい。

戦後、すさんだ日本人の心を癒したのは、「リンゴの唄」と街頭テレビに映し出される力道山の勇姿だったという。敗戦の屈辱を晴らすかのように、青い目の外国人レスラーを空手チョップでなぎ倒した力道山に、当時、日本人の誰もが溜飲を下げた。不慮の事件に巻き込まれた無念の力道山の、余韻を匂わせてあらわれたジャイアント馬場。生涯一プロレスラーだった。

還暦の時は、赤いちゃんちゃんこを着てリングに上がるパフォーマンスを見せた。筋肉は削げ落ち、動きもスローモーな馬場にレスリングをさせ、それを観て楽しむのは罪なことではないかと思ったりもしたが、痛々しいながらも、馬場の存在感は間違いなく老害ではなかったと、私は思うのだ。

馬場に向かってドロップキックを浴びせた外国人レスラーに会場から怒声が響いた。

「馬場さんに何をするんだ！　謝れ！」

場内は失笑に包まれたが、私は笑おうとしても、うまく笑えなかったことを思い出す。そして、ジャイアント馬場は逆に、もうほとんど威力のなくなってしまった十六文キックで応戦していた。

彼は、誰からも愛されていた。誰も彼に辞めろと言わなかった。そして、ジャイアント馬場自身も、引き際など考えたことはなかったという。

最後まで惜しまれつつ、死という引き際を迎える。享年六十一歳。長すぎず、短すぎず、見事な人生であった。

あとがき

「負けて悔いなし」という敗者の弁があるが、私はそれをにわかに信じがたい。すべてを出し尽くし、何も残らないくらいの勝負をしたのならわかる気がする。それでもやはり、負けて悔しくない人などいるはずはなく、そんなことを平気で言う人が安っぽく見えてしまう。悔いが残るのは当然、大事なのは、それをいつまでも引っ張らずに、頭を切り換えて次につなぐ努力である。これは引き際にも通じることかもしれないと思う。

「はじめに」で触れた住友二代総理事・伊庭貞剛が、「青年の過失」には寛大だったのは、それが糧となり発展へとつながるからだろう。

その伊庭は、五十八歳で「老人の跋扈《ばっこ》」を自ら戒め、後進に道を譲った。次の総理事・鈴木馬左也《まさや》は四十四歳。本田宗一郎の後を継いだ河島喜好《きよし》は四十五歳だった。伊庭と本田に共通するのは、しっかりと後継者を育てたことだ。もし、彼らが辞めた後、会社が倒産していたら、その引き際が伝説となることもなかっただろう。
立つ鳥跡を濁さず――。ここまでできて、潔い引き際が飾れるのだ。

本書を執筆するにあたり、ご協力下さった方々にはとりわけ感謝申し上げます。また、本文中では原則として敬称を略させていただいたことをお断りじます。
今回の取材は、私にとっても自分の生き方を見つめ直すいいきっかけとなりました。
最後に、その機会を与えてくれた新潮新書編集部の三重博一編集長と、遅々として筆の進まない引き際の悪い私に付き合ってくれた編集部の内田浩平氏に、この場を借りて御礼を申し上げます。

二〇〇四年五月

黒井克行

●参考文献

『住友人物列伝・総理事と呼ばれた人たち』（住友グループ広報委員会ホームページ）
『語り継ぎたいこと　チャレンジの50年』（ホンダホームページ）
『本田宗一郎　夢を力に――私の履歴書』（日本経済新聞社）
『経営に終わりはない』藤沢武夫（文藝春秋）
『日本共産党の立場』宮本顕治（全五巻・新日本出版）

黒井克行　1958（昭和33）年旭川市生まれ。ノンフィクション作家。早稲田大学第一文学部卒。「週刊新潮」「週刊文春」「Number」などで活躍。著書に『駆け引き』『テンカウント』など。

Ⓢ新潮新書

074

男《おとこ》の引《ひ》き際《ぎわ》

著　者　黒井克行《くろいかつゆき》

2004年6月20日　発行

発行者　佐　藤　隆　信

発行所　株式会社新潮社

〒162-8711　東京都新宿区矢来町71番地

編集部（03）3266-5430　読者係（03）3266-5111

http://www.shinchosha.co.jp

印刷所　株式会社光邦

製本所　株式会社植木製本所

ISBN4-10-610074-6 C0236

Ⓢ新潮新書

020
山本周五郎のことば
清原康正

042
サービスの天才たち
野地秩嘉

071
中東 迷走の百年史
宮田律

072
創価学会
島田裕巳

073
誤読された万葉集
古橋信孝

辛いとき、悲しいとき、そして逆境にあるとき、励ましてくれたのはいつも山本周五郎だった。生誕百年に贈る名フレーズ集。文学案内を兼ねた絶好の入門書。

高倉健を魅了するバーバーショップから、有名人御用達タクシーまで。名もなき達人たちのプロフェッショナルなサービス、お客の心を虜にする極意とは!?

イラク、アフガニスタン、チェチェン、パレスチナなど、十二の国・地域を取り上げコンパクトに解説。現代史から読み解く中東入門書の決定版。

発足の経緯、高度成長期の急拡大の背景、公明党の役割、組織防衛の仕組み、そしてポスト池田の展開――。国家を左右する巨大宗教団体の「意味」を、客観的な視点で明快に読み解く。

古典一新――。あの人麻呂の、憶良の、旅人の歌は、そういう歌だったのか！「庶民の素朴な生活感情を素直に表現した歌集」という従来の解釈を劇的にくつがえす衝撃の試み。